S0-AWW-346

FROM THE DESK OF ME

Spots on the Spot

P-794 © 1978 United Feature Syndicate, Inc.

JIM DAVIS

Garfield

Welcome to Spots On The Spot, the latest addition to the growing collection of illustrations from the Stock Illustration Source. Spots is a great resource for both simple and conceptual illustrations which can be obtained immediately.

How Spots is organized

The illustrations are categorized by artist rather than subject matter so that you are, in effect, viewing the artist's portfolio. You can use the Spots website at www.images.com to search through the illustrations by either keyword or artist name.

Prices

Spots has four levels of pricing — A, B, C and D. Within each level there are three different prices based on the size you select — an icon (up to 2 x 2 inches), a spot (from 2-1/2 to 3-1/2 inches) and a quarter-page (from 4x4 to 5x5 inches). In addition, most of the illustrations in Spots are available in larger sizes, up to full page (or 30 megabytes).

	A	B	C	D
Icon	$90	125	160	230
Spot	150	190	240	320
1/4 page	195	250	315	420

These prices are for a one-time use for circulations or print runs under 50,000. For circulations or print runs over 50,000, please call Spots at 1-800-4-IMAGES.

The Images
Most of the images shown in this catalog have been cropped and have additional area that is not shown. To see the complete image, view it on our website at www.images.com. Simply enter the image number as a keyword to access it.

How to order an image
The illustrations in this catalog can be obtained in two ways…
1.   Select and purchase the image from the Spots website at www.images.com. Once you've purchased the image, either by using your credit card or by establishing an account, you can download the high resolution version.

2.   Telephone Spots at 1-800-4-IMAGES. After selecting an image, the high resolution version you need can either be e-mailed, placed on a CD-ROM and Fedexed, or can be download from our Internet site.

Custom Illustrations
Most of the artists whose work appears in this catalog are available to create illustrations on an assignment basis. If you like an artist's style but don't see the exact image you need, call us and we'll arrange for the artist to create it for you.

Questions
If you have any questions about Spots, please contact Spots Manager Tim Vermillion at 212-849-2926 or e-mail him at timv@images.com.

Spots On The Spot
16 West 19th Street, New York NY 10011
telephone 1-800-4-IMAGES facsimile 212-691-6609
a division of Images.com, Inc.

artists

A

Allaux, Jean François 12-13
Alsberg, Peter 72-73
Ansley, Frank 10
Anthony, Tony 48-49
Aspinall, Neal 115
Atkinson, Janet 121
Attiliis, Andy 82-83
Aveto, Michael 141-142

B

Bacall, Aaron 139
Bakal, Scott 123
Bannister, Kristen 42
Barber, Rob 96
Barrett, Andrea 37
Baruffi, Andrea 101
Bendis, Keith 83
Benioff, Carol 53
Bleck, Linda 127
Bliss, Phil and Jim 53
Bloch, Alex 22-24
Boatwright, Phil 73
Bohn, Rex 99
Bono, Peter 74-75
Boyer-Nelles, Lyn 129
Brickner, Alice 125
Brinkman, Paula 57
Bru Associates 97

C

Cardella, Elaine A. 101
Castello, Dan 143
Clarke, John 123
Cober, Alan 2-3
Cober-Gentry, Leslie 10
Colalillo, Giovannina 45
Collins, Daniel 131

Coloma, Lester 103
Colvin, Rob 50-51
Cressy, Mike 139
Cutler, Dave 60-70

D

Daigle, Stéphan 44-45
Dandy, Jim 28-30
Davick, Linda 33
de la Houssaye, Jeanne 127
Diercksmeier, Robert J. 92
Dionisi, Sandra 70
Dvorak, Phillip 56-57
Dykes, John S. 100-101

E

Eberbach, Andrea 128
Endicott, James 27

F

Fattig, Scott 30
Fellows, Kara 26
Fisch, Paul J. 89
Fricke, Bill 107
Friel, Bryan 94-95

G

Galindo, Felipe 96
Gampert, John 43
Garner, David 120-121
Gast, Josef 117
Geller, Andrea 108-109
Giana, Alan 1
Glazer, Art 86-87
Goldberg, Wendy L. 137
Golem, Steven 124-125
Gosse, Judith 19
Gray, Steve 87

Gurvin, Abe 135

H

Hall, Bill 54
Hall, Joan 84-85
Haney, Lisa 140
Hantel, Johanna 136-137
Hargreaves, Greg 123
Hayes, Stephen F. 110
Henderling, Lisa 18-19
Henderson, Lael 98
Herzberg, Tom 112-113
Hilliard-Barry, Pat 91
Hodgkins, Rosalind 101
Hovey, Jack 91

I

Irvin, Michael 98
Isaacson, Melanie 57
Ishige, Susan 122

J

Jarvis, Nathan Y. 87
Jeftovic, Cindy 90
Johnston, Scott 90

K

Kafanov, Vasily 119
Kamalova 142
Kapelyan, Natalia 98
King, Fiona 27
Kittelberger, Eric 33
Knox, Larry 17
Kopelnitsky, Igor 71
Kretzschmar, Art 93
Kundas, Leo 51

a r t i s t s

L

Laird, Campbell 54
Leonid 90
Levin, Arnie 73
Levins, Rob 41
Lindlof, Ed 143

M

Maceren, Jude 24
Mahan, Benton 102
Manning, Lisa 110
Mardaga, Dana 129
Margeson, John 133
Marina 102
Marinsky, Jane 138
McDonald, Jim 89
Medici, Raymond 113
Melluzzo, Michael 71
Miller, Kristen 105
Montgomery, Linda 97
Morgan, Jacqui 114-115
Morrison, Pat 43
Murray, Barbara 97

N

Naiman, Linda 115
Nelson, John 79
Niklewicz, Adam 11
Noma 4-7

O

Olivieri, Teofilo 32-33
Ortega, Jose 16-17
O'Sullivan, John 137

P

Parry, Ivor 53-54
Paterson, Jim 59
Perry-Johnston, Gail 117
Phillips, Chet 59
Pope, Kevin 20
Punin, Nikolai 14-15

R

Rabinowicz, Vicky 37
Rea, Brian 55
Renlie, Frank 118
Rivard, Lisa 103
Robertson, Chris 128
Rosen, Eileen 126

S

Saunders, Rob 46-47
Scheuer, Philip 89
Schulenburg, Paul 25
Sessler, Jan 31
Shakirov 8-10
Shalansky, Len 83
Shaver, Mark 116-117
Shaw, Ned 19
Shiff, Andrew 41
Short, Kevin A. 26
Sirrell, Terry 134
Smith, Geoffrey P. 7
Sofair Ketler, Ruth 106-107
Soulé, Robert 58
Sposato, John 111
Steininger, Otto 103
Stern, Kalika 139

Sterrett, Jane 52
Suchit, Stu 91
Sullivan, Jem 104-105

T

Tedeschi, Laura L. 132
Thompson, Bryon 132
Thompson, Emily 88-89
Thompson, George 130-131
Torrey, Thomas 37
Truman, Sue 85
Tumaneng, Edith R. 11

V

Vaitiekunas, Vince M. 78
Verougstraete, Randy 47
Vorlet, Christophe 38-41

W

Waller, Charles 80-81
Warnick, Elsa 111
Wawiorka, Matt 76-78
Webb, Tim 126
Weber, Mark 102
Weiman, Jon 133
Wern Comport, Sally 21
Westbrook, Eric 15
Wink, David 42

Y Z

Yaccarino, Dan 34-36
Zielinski, John 48
Zierlein, Peter O. 98
Ziering, Bob 43

Spots on the Spot

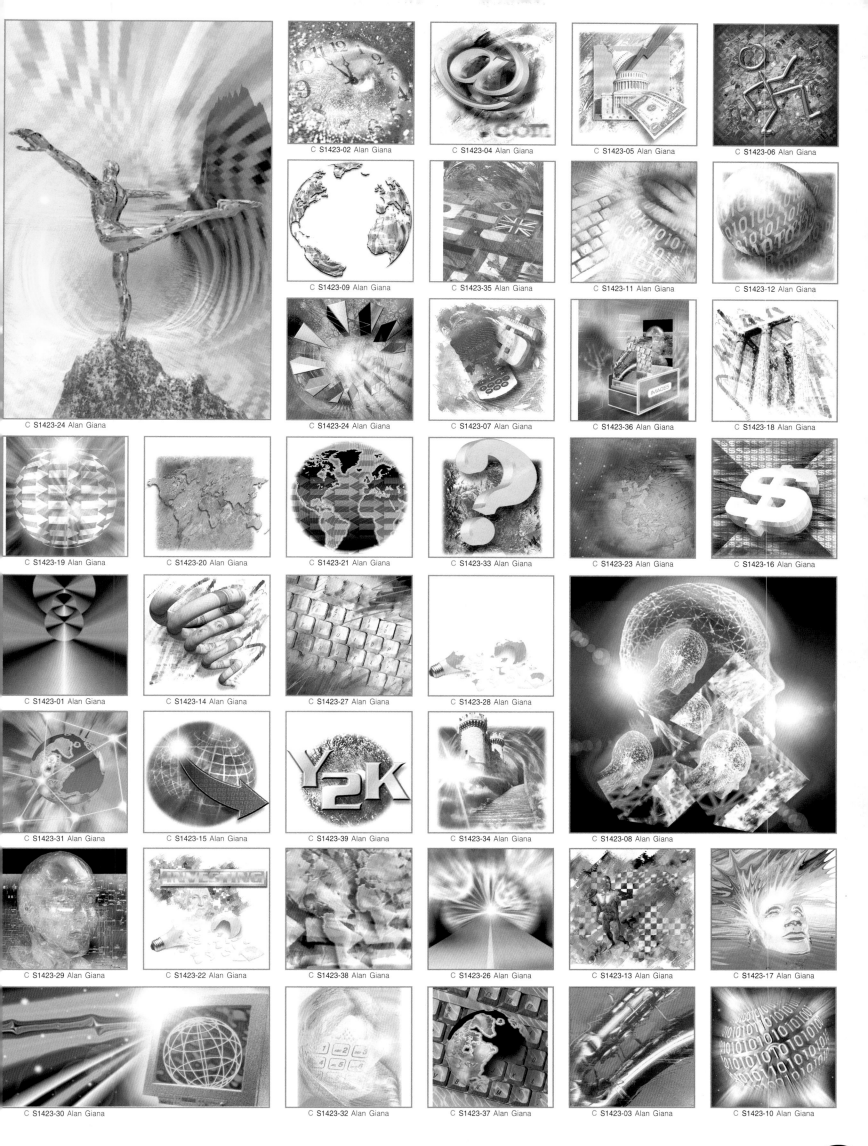

C S1423-02 Alan Giana

C S1423-04 Alan Giana

C S1423-05 Alan Giana

C S1423-06 Alan Giana

C S1423-24 Alan Giana

C S1423-09 Alan Giana

C S1423-35 Alan Giana

C S1423-11 Alan Giana

C S1423-12 Alan Giana

C S1423-24 Alan Giana

C S1423-07 Alan Giana

C S1423-36 Alan Giana

C S1423-18 Alan Giana

C S1423-19 Alan Giana

C S1423-20 Alan Giana

C S1423-21 Alan Giana

C S1423-33 Alan Giana

C S1423-23 Alan Giana

C S1423-16 Alan Giana

C S1423-01 Alan Giana

C S1423-14 Alan Giana

C S1423-27 Alan Giana

C S1423-28 Alan Giana

C S1423-31 Alan Giana

C S1423-15 Alan Giana

C S1423-39 Alan Giana

C S1423-34 Alan Giana

C S1423-08 Alan Giana

C S1423-29 Alan Giana

C S1423-22 Alan Giana

C S1423-38 Alan Giana

C S1423-26 Alan Giana

C S1423-13 Alan Giana

C S1423-17 Alan Giana

C S1423-30 Alan Giana

C S1423-32 Alan Giana

C S1423-37 Alan Giana

C S1423-03 Alan Giana

C S1423-10 Alan Giana

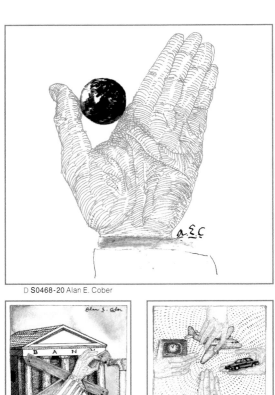

D S0468-20 Alan E. Cober

D S0468-12 Alan E. Cober

D S0468-04 Alan E. Cober

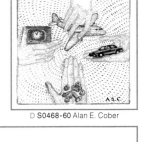

D S0468-13 Alan E. Cober

D S0468-14 Alan E. Cober

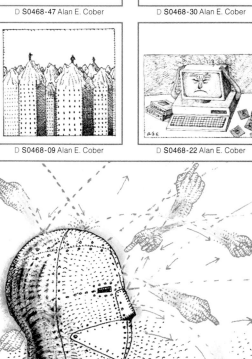

D S0468-62 Alan E. Cober

D S0468-57 Alan E. Cober

D S0468-60 Alan E. Cober

D S0468-52 Alan E. Cober

D S0468-27 Alan E. Cober

D S0468-05 Alan E. Cober

D S0468-65 Alan E. Cober

D S0468-54 Alan E. Cober

D S0468-19 Alan E. Cober

D S0468-03 Alan E. Cober

D S0468-55 Alan E. Cober

D S0468-35 Alan E. Cober

D S0468-47 Alan E. Cober

D S0468-30 Alan E. Cober

D S0468-29 Alan E. Cober

D S0468-66 Alan E. Cober

D S0468-11 Alan E. Cober

D S0468-16 Alan E. Cober

D S0468-09 Alan E. Cober

D S0468-22 Alan E. Cober

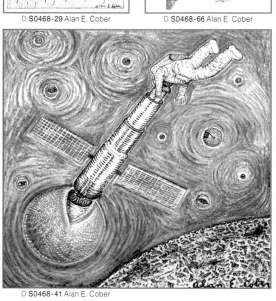

D S0468-41 Alan E. Cober

D S0468-08 Alan E. Cober

D S0468-10 Alan E. Cober

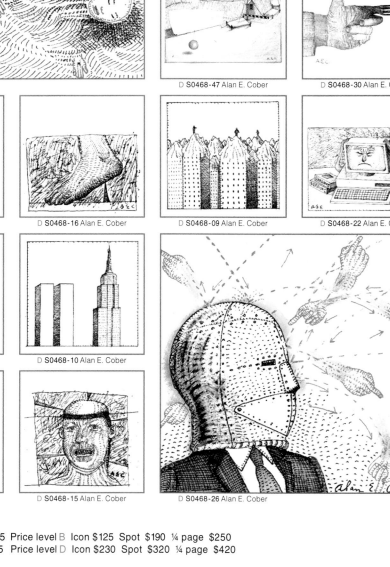

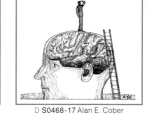

D S0468-17 Alan E. Cober

D S0468-15 Alan E. Cober

D S0468-26 Alan E. Cober

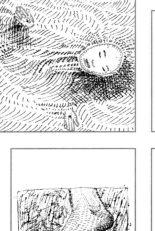

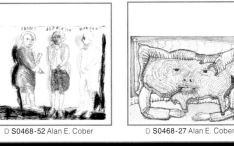

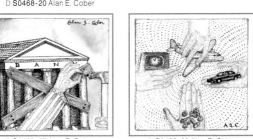

Price level A Icon $90 Spot $150 ¼ page $195 Price level B Icon $125 Spot $190 ¼ page $250
Price level C Icon $160 Spot $240 ¼ page $315 Price level D Icon $230 Spot $320 ¼ page $420

D S0468-49 Alan E. Cober

D S0468-51 Alan E. Cober

D S0468-24 Alan E. Cober

D S0468-02 Alan E. Cober

D S0468-31 Alan E. Cober

D S0468-18 Alan E. Cober

D S0468-39 Alan E. Cober

D S0468-58 Alan E. Cober

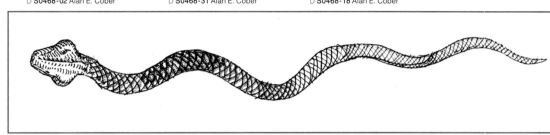

D S0468-45 Alan E. Cober

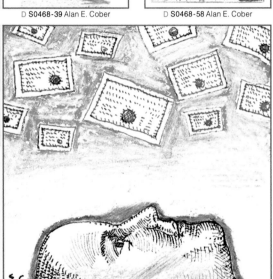

D S0468-56 Alan E. Cober

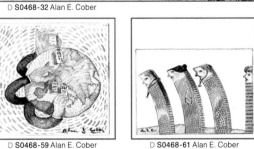

D S0468-32 Alan E. Cober

D S0468-59 Alan E. Cober

D S0468-61 Alan E. Cober

D S0468-07 Alan E. Cober

D S0468-25 Alan E. Cober

D S0468-46 Alan E. Cober

D S0468-44 Alan E. Cober

D S0468-21 Alan E. Cober

D S0468-33 Alan E. Cober

D S0468-23 Alan E. Cober

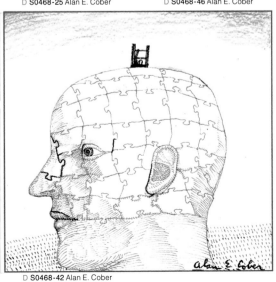

D S0468-42 Alan E. Cober

D S0468-68 Alan E. Cober

D S0468-50 Alan E. Cober

D S0468-06 Alan E. Cober

D S0468-01 Alan E. Cober

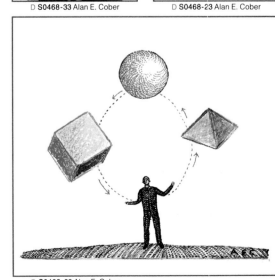

D S0468-28 Alan E. Cober

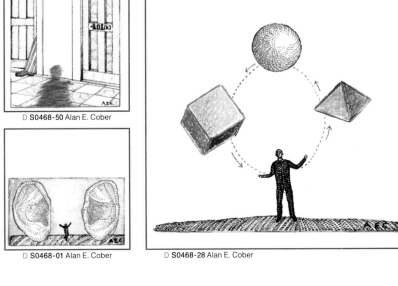

Price level A Icon $90 Spot $150 ¼ page $195 Price level B Icon $125 Spot $190 ¼ page $250
Price level C Icon $160 Spot $240 ¼ page $315 Price level D Icon $230 Spot $320 ¼ page $420

www.images.com   3

C S1135-97 Noma

C S1135-98 Noma

C S1135-67 Noma

C S1135-136 Noma

C S1135-101 Noma

C S1135-102 Noma

C S1135-103 Noma

C S1135-129 Noma

C S1135-105 Noma

C S1135-82 Noma

C S1135-107 Noma

C S1135-108 Noma

C S1135-109 Noma

C S1135-125 Noma

C S1135-39 Noma

C S1135-74 Noma

C S1135-114 Noma

C S1135-62 Noma

C S1135-70 Noma

C S1135-119 Noma

C S1135-120 Noma

C S1135-121 Noma

C S1135-122 Noma

C S1135-139 Noma

C S1135-111 Noma

C S1135-92 Noma

C S1135-126 Noma

C S1135-127 Noma

C S1135-104 Noma

C S1135-61 Noma

C S1135-106 Noma

C S1135-100 Noma

C S1135-118 Noma

C S1135-16 Noma

C S1135-134 Noma

C S1135-135 Noma

C S1135-41 Noma

C S1135-137 Noma

C S1135-138 Noma

C S1135-99 Noma

C S1135-116 Noma

C S1135-141 Noma

C S1135-26 Noma

C S1135-143 Noma

C S1135-66 Noma

Price level A Icon $90 Spot $150 ¼ page $195   Price level B Icon $125 Spot $190 ¼ page $250
Price level C Icon $160 Spot $240 ¼ page $315   Price level D Icon $230 Spot $320 ¼ page $420

C S1135-49 Noma

C S1135-93 Noma

C S1135-51 Noma

C S1135-15 Noma

C S1135-46 Noma

C S1135-63 Noma

C S1135-20 Noma

C S1135-113 Noma

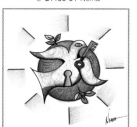

C S1135-57 Noma

C S1135-77 Noma

C S1135-80 Noma

C S1135-60 Noma

C S1135-08 Noma

B S1135-128 Noma

C S1135-64 Noma

C S1135-14 Noma

C S1135-115 Noma

C S1135-131 Noma

C S1135-68 Noma

C S1135-34 Noma

C S1135-72 Noma

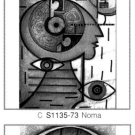

C S1135-73 Noma

B S1135-140 Noma

C S1135-75 Noma

C S1135-76 Noma

C S1135-59 Noma

C S1135-78 Noma

C S1135-79 Noma

C S1135-28 Noma

C S1135-81 Noma

C S1135-110 Noma

C S1135-83 Noma

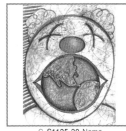

C S1135-84 Noma

C S1135-02 Noma

C S1135-86 Noma

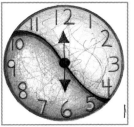

C S1135-58 Noma

C S1135-88 Noma

C S1135-45 Noma

C S1135-30 Noma

C S1135-91 Noma

C S1135-123 Noma

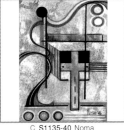

C S1135-40 Noma

C S1135-53 Noma

C S1135-95 Noma

C S1135-96 Noma

Price level A Icon $90 Spot $150 ¼ page $195 Price level B Icon $125 Spot $190 ¼ page $250
Price level C Icon $160 Spot $240 ¼ page $315 Price level D Icon $230 Spot $320 ¼ page $420
www.images.com 5

C S1135-01 Noma

C S1135-85 Noma

C S1135-03 Noma

C S1135-04 Noma

C S1135-27 Noma

C S1135-06 Noma

C S1135-07 Noma

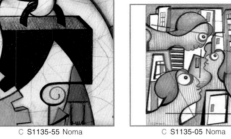

C S1135-09 Noma

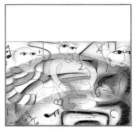
C S1135-10 Noma

C S1135-50 Noma

C S1135-132 Noma

C S1135-13 Noma

C S1135-55 Noma

C S1135-05 Noma

C S1135-112 Noma

C S1135-17 Noma

C S1135-18 Noma

C S1135-19 Noma

C S1135-43 Noma

C S1135-21 Noma

C S1135-22 Noma

C S1135-23 Noma

C S1135-24 Noma

C S1135-25 Noma

C S1135-142 Noma

C S1135-87 Noma

C S1135-52 Noma

C S1135-47 Noma

C S1135-44 Noma

C S1135-31 Noma

C S1135-32 Noma

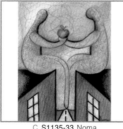
C S1135-33 Noma

C S1135-124 Noma

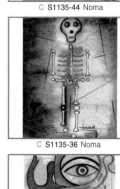
C S1135-36 Noma

C S1135-37 Noma

C S1135-38 Noma

C S1135-133 Noma

C S1135-42 Noma

C S1135-54 Noma

C S1135-11 Noma

C S1135-89 Noma

C S1135-94 Noma

C S1135-69 Noma

C S1135-48 Noma

 www.images.com

Price level A Icon $90 Spot $150 ¼ page $195 Price level B Icon $125 Spot $190 ¼ page $250
Price level C Icon $160 Spot $240 ¼ page $315 Price level D Icon $230 Spot $320 ¼ page $420

C S1135-130 Noma

C S1135-12 Noma

C S1135-29 Noma

C S1135-71 Noma

C S1135-65 Noma

C S1135-117 Noma

C S1135-90 Noma

C S1135-35 Noma

C S1027-01 Geoffrey P. Smith

C S1027-02 Geoffrey P. Smith

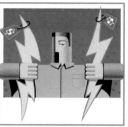
C S1027-31 Geoffrey P. Smith

C S1027-04 Geoffrey P. Smith

C S1027-20 Geoffrey P. Smith

C S1135-56 Noma

B S1027-12 Geoffrey P. Smith

C S1027-05 Geoffrey P. Smith

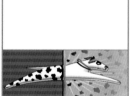
C S1027-32 Geoffrey P. Smith

C S1027-07 Geoffrey P. Smith

C S1027-11 Geoffrey P. Smith

C S1027-22 Geoffrey P. Smith

B S1027-13 Geoffrey P. Smith

C S1027-14 Geoffrey P. Smith

C S1027-15 Geoffrey P. Smith

C S1027-16 Geoffrey P. Smith

C S1027-17 Geoffrey P. Smith

B S1027-18 Geoffrey P. Smith

C S1027-34 Geoffrey P. Smith

C S1027-23 Geoffrey P. Smith

C S1027-21 Geoffrey P. Smith

B S1027-28 Geoffrey P. Smith

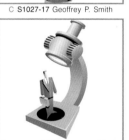
B S1027-33 Geoffrey P. Smith

C S1027-24 Geoffrey P. Smith

B S1027-08 Geoffrey P. Smith

C S1027-26 Geoffrey P. Smith

B S1027-25 Geoffrey P. Smith

C S1027-10 Geoffrey P. Smith

C S1027-29 Geoffrey P. Smith

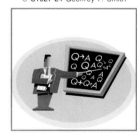
C S1027-30 Geoffrey P. Smith

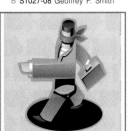
C S1027-03 Geoffrey P. Smith

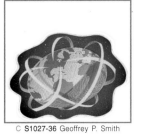
C S1027-36 Geoffrey P. Smith

C S1027-27 Geoffrey P. Smith

B S1027-35 Geoffrey P. Smith

C S1027-09 Geoffrey P. Smith

C S1027-19 Geoffrey P. Smith

Price level A Icon $90 Spot $150 ¼ page $195 Price level B Icon $125 Spot $190 ¼ page $250
Price level C Icon $160 Spot $240 ¼ page $315 Price level D Icon $230 Spot $320 ¼ page $420

7

www.images.com

C S1147-01 Shakirov

C S1147-02 Shakirov

C S1147-03 Shakirov

C S1147-04 Shakirov

C S1147-05 Shakirov

C S1147-06 Shakirov

C S1147-07 Shakirov

C S1147-08 Shakirov

C S1147-09 Shakirov

C S1147-10 Shakirov

C1147-11 Shakirov

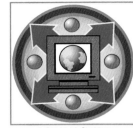
C S1147-12 Shakirov

C S1147-13 Shakirov

C S1147-14 Shakirov

C S1147-15 Shakirov

C S1147-16 Shakirov

C S1147-17 Shakirov

C S1147-18 Shakirov

C S1147-19 Shakirov

C S1147-20 Shakirov

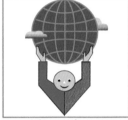
C S1147-21 Shakirov

C S1147-24 Shakirov

C S1147-25 Shakirov

C S1147-26 Shakirov

C S1147-27 Shakirov

C S1147-22 Shakirov

C S1147-30 Shakirov

C S1147-31 Shakirov

C S1147-32 Shakirov

C S1147-33 Shakirov

C S1147-34 Shakirov

C S1147-35 Shakirov

C S1147-36 Shakirov

C S1147-37 Shakirov

C S1147-38 Shakirov

C S1147-39 Shakirov

C S1147-40 Shakirov

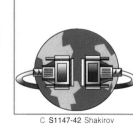
C S1147-67 Shakirov

C S1147-42 Shakirov

C S1147-43 Shakirov

C S1147-44 Shakirov

C S1147-45 Shakirov

C S1147-46 Shakirov

C S1147-47 Shakirov

C S1147-48 Shakirov

Price level A Icon $90 Spot $150 ¼ page $195 Price level B Icon $125 Spot $190 ¼ page $250
Price level C Icon $160 Spot $240 ¼ page $315 Price level D Icon $230 Spot $320 ¼ page $420

 C S1147-49 Shakirov
 C S1147-50 Shakirov
 C S1147-51 Shakirov
 C S1147-52 Shakirov
 C S1147-53 Shakirov
 C S1147-54 Shakirov

 C S1147-55 Shakirov
 C S1147-56 Shakirov
 C S1147-57 Shakirov
 C S1147-58 Shakirov
 C S1147-59 Shakirov
 C S1147-60 Shakirov

 C S1147-61 Shakirov
 C S1147-62 Shakirov
 C S1147-63 Shakirov
 C S1147-64 Shakirov
 C S1147-65 Shakirov
 C S1147-66 Shakirov

 C S1147-41 Shakirov
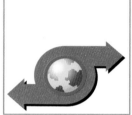 C S1147-68 Shakirov
 C S1147-69 Shakirov
 C S1147-70 Shakirov
 C S1147-71 Shakirov
 C S1147-72 Shakirov

 C S1147-73 Shakirov
 C S1147-75 Shakirov
 C S1147-74 Shakirov
 C S1147-76 Shakirov
 C S1147-77 Shakirov
 C S1147-78 Shakirov

 C S1147-79 Shakirov
 C S1147-80 Shakirov
 C S1147-81 Shakirov
 C S1147-82 Shakirov
 C S1147-83 Shakirov
 C S1147-84 Shakirov

 C S1147-85 Shakirov
 C S1147-86 Shakirov
 C S1147-87 Shakirov
 C S1147-88 Shakirov
 C S1147-89 Shakirov
 C S1147-90 Shakirov

 C S1147-91 Shakirov
 C S1147-92 Shakirov
 C S1147-93 Shakirov
 C S1147-94 Shakirov
 C S1147-95 Shakirov
 C S1147-96 Shakirov

Price level A Icon $90   Spot $150 ¼ page $195 Price level B Icon $125 Spot $190 ¼ page $250
Price level C Icon $160 Spot $240 ¼ page $315 Price level D Icon $230 Spot $320 ¼ page $420

www.images.com   9

 C S1147-29 Shakirov
 C S1147-23 Shakirov
 C S1147-28 Shakirov
 C S1147-97 Shakirov
 C S1147-98 Shakirov
 C S1147-99 Shakirov

 C S1147-100 Shakirov
 C S1147-101 Shakirov
 C S1147-102 Shakirov
 C S1147-103 Shakirov
 C S1147-104 Shakirov
 B S0540-01 Frank Ansley

 C S0540-02 Frank Ansley
 C S0540-03 Frank Ansley
 B S0540-04 Frank Ansley
 C S0540-05 Frank Ansley
 B S0540-06 Frank Ansley
 C S0540-07 Frank Ansley

 C S0540-08 Frank Ansley
 C S0540-09 Frank Ansley
 C S0540-10 Frank Ansley
 C S0540-11 Frank Ansley
 C S0540-12 Frank Ansley
 C S0540-13 Frank Ansley

 C S0540-14 Frank Ansley
 B S0540-15 Frank Ansley
 C S0540-16 Frank Ansley
 C S0540-17 Frank Ansley
 B S0540-18 Frank Ansley
 C S0540-19 Frank Ansley

 C S0540-20 Frank Ansley
 C S0540-21 Frank Ansley
 C S0540-22 Frank Ansley
 B S0705-09 Leslie Cober-Gentry
 B S0705-02 Leslie Cober-Gentry
 B S0705-11 Leslie Cober-Gentry

 B S0705-13 Leslie Cober-Gentry
 B S0705-08 Leslie Cober-Gentry
 B S0705-06 Leslie Cober-Gentry
 B S0705-07 Leslie Cober-Gentry
 B S0705-04 Leslie Cober-Gentry
B S0705-05 Leslie Cober-Gentry

 B S0705-10 Leslie Cober-Gentry
B S0705-03 Leslie Cober-Gentry
 B S0705-12 Leslie Cober-Gentry
 B S0705-01 Leslie Cober-Gentry
 B S0705-14 Leslie Cober-Gentry
 B S0705-15 Leslie Cober-Gentry

Price level A Icon $90 Spot $150 ¼ page $195 Price level B Icon $125 Spot $190 ¼ page $250
Price level C Icon $160 Spot $240 ¼ page $315 Price level D Icon $230 Spot $320 ¼ page $420

C S0809-20 Adam Niklewicz

C S0809-03 Adam Niklewicz

C S0809-04 Adam Niklewicz

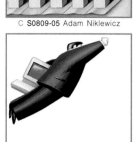
C S0809-05 Adam Niklewicz

C S0809-06 Adam Niklewicz

C S0809-08 Adam Niklewicz

C S0809-11 Adam Niklewicz

C S0809-10 Adam Niklewicz

C S0809-12 Adam Niklewicz

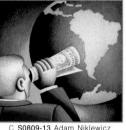
C S0809-13 Adam Niklewicz

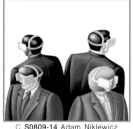
C S0809-14 Adam Niklewicz

C S0809-15 Adam Niklewicz

C S0809-16 Adam Niklewicz

C S0809-09 Adam Niklewicz

C S0809-02 Adam Niklewicz

C S0809-21 Adam Niklewicz

C S0809-22 Adam Niklewicz

C S0809-07 Adam Niklewicz

C S0809-18 Adam Niklewicz

C S0809-23 Adam Niklewicz

C S0809-17 Adam Niklewicz

C S0809-01 Adam Niklewicz

C S0809-19 Adam Niklewicz

C S0022-01 Edith R. Tumaneng

C S0022-02 Edith R. Tumaneng

C S0022-03 Edith R. Tumaneng

C S0022-04 Edith R. Tumaneng

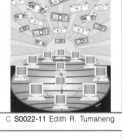
C S0022-05 Edith R. Tumaneng

C S0022-12 Edith R. Tumaneng

C S0022-07 Edith R. Tumaneng

C S0022-08 Edith R. Tumaneng

C S0022-09 Edith R. Tumaneng

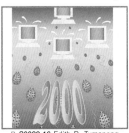
C S0022-10 Edith R. Tumaneng

C S0022-11 Edith R. Tumaneng

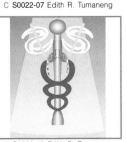
B S0022-13 Edith R. Tumaneng

C S0022-14 Edith R. Tumaneng

C S0022-15 Edith R. Tumaneng

B S0022-16 Edith R. Tumaneng

C S0022-17 Edith R. Tumaneng

C S0022-06 Edith R. Tumaneng

Price level A Icon $90   Spot $150 ¼ page $195 Price level B Icon $125 Spot $190 ¼ page $250
Price level C Icon $160 Spot $240 ¼ page $315 Price level D Icon $230 Spot $320 ¼ page $420
www.images.com   11

B S0792-01 Jean-François Allaux

B S0792-02 Jean-François Allaux

B S0792-03 Jean-François Allaux

B S0792-04 Jean-François Allaux

B S0792-05 Jean-François Allaux

B S0792-07 Jean-François Allaux

B S0792-08 Jean-François Allaux

B S0792-09 Jean-François Allaux

B S0792-10 Jean-François Allaux

B S0792-11 Jean-François Allaux

B S0792-06 Jean-François Allaux

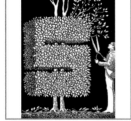

B S0792-12 Jean-François Allaux

B S0792-13 Jean-François Allaux

B S0792-14 Jean-François Allaux

B S0792-15 Jean-François Allaux

B S0792-16 Jean-François Allaux

B S0792-19 Jean-François Allaux

B S0792-20 Jean-François Allaux

B S0792-21 Jean-François Allaux

B S0792-22 Jean-François Allaux

B S0792-23 Jean-François Allaux

B S0792-24 Jean-François Allaux

B S0792-25 Jean-François Allaux

B S0792-26 Jean-François Allaux

B S0792-27 Jean-François Allaux

B S0792-28 Jean-François Allaux

B S0792-29 Jean-François Allaux

B S0792-30 Jean-François Allaux

B S0792-31 Jean-François Allaux

B S0792-32 Jean-François Allaux

B S0792-33 Jean-François Allaux

B S0792-34 Jean-François Allaux

B S0792-35 Jean-François Allaux

B S0792-36 Jean-François Allaux

B S0792-37 Jean-François Allaux

B S0792-38 Jean-François Allaux

B S0792-39 Jean-François Allaux

B S0792-40 Jean-François Allaux

B S0792-41 Jean-François Allaux

B S0792-42 Jean-François Allaux

B S0792-43 Jean-François Allaux

B S0792-44 Jean-François Allaux

B S0792-45 Jean-François Allaux

B S0792-46 Jean-François Allaux

B S0792-47 Jean-François Allaux

B S0792-48 Jean-François Allaux

B S0792-49 Jean-François Allaux

Price level A Icon $90 Spot $150 ¼ page $195 Price level B Icon $125 Spot $190 ¼ page $250
Price level C Icon $160 Spot $240 ¼ page $315 Price level D Icon $230 Spot $320 ¼ page $420

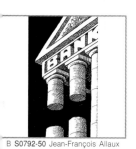

B S0792-50 Jean-François Allaux

B S0792-51 Jean-François Allaux

B S0792-52 Jean-François Allaux

B S0792-53 Jean-François Allaux

B S0792-54 Jean-François Allaux

B S0792-55 Jean-François Allaux

B S0792-56 Jean-François Allaux

B S0792-57 Jean-François Allaux

B S0792-58 Jean-François Allaux

B S0792-59 Jean-François Allaux

B S0792-60 Jean-François Allaux

B S0792-61 Jean-François Allaux

B S0792-62 Jean-François Allaux

B S0792-63 Jean-François Allaux

B S0792-64 Jean-François Allaux

B S0792-65 Jean-François Allaux

B S0792-66 Jean-François Allaux

B S0792-67 Jean-François Allaux

B S0792-68 Jean-François Allaux

B S0792-69 Jean-François Allaux

B S0792-70 Jean-François Allaux

B S0792-71 Jean-François Allaux

B S0792-72 Jean-François Allaux

B S0792-73 Jean-François Allaux

B S0792-74 Jean-François Allaux

B S0792-75 Jean-François Allaux

B S0792-76 Jean-François Allaux

B S0792-77 Jean-François Allaux

B S0792-78 Jean-François Allaux

B S0792-79 Jean-François Allaux

B S0792-80 Jean-François Allaux

B S0792-81 Jean-François Allaux

B S0792-82 Jean-François Allaux

B S0792-83 Jean-François Allaux

B S0792-84 Jean-François Allaux

B S0792-85 Jean-François Allaux

B S0792-86 Jean-François Allaux

B S0792-87 Jean-François Allaux

B S0792-88 Jean-François Allaux

B S0792-89 Jean-François Allaux

B S0792-90 Jean-François Allaux

B S0792-91 Jean-François Allaux

B S0792-92 Jean-François Allaux

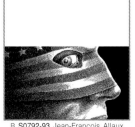

B S0792-93 Jean-François Allaux

B S0792-94 Jean-François Allaux

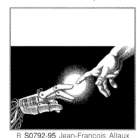

B S0792-95 Jean-François Allaux

Price level A Icon $90 Spot $150 ¼ page $195 Price level B Icon $125 Spot $190 ¼ page $250
Price level C Icon $160 Spot $240 ¼ page $315 Price level D Icon $230 Spot $320 ¼ page $420

www.images.com

C S0704-01 Nikolai Punin

C S0704-02 Nikolai Punin

C S0704-03 Nikolai Punin

C S0704-04 Nikolai Punin

C S0704-05 Nikolai Punin

C S0704-06 Nikolai Punin

C S0704-07 Nikolai Punin

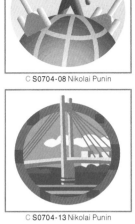

C S0704-08 Nikolai Punin

C S0704-09 Nikolai Punin

C S0704-10 Nikolai Punin

C S0704-11 Nikolai Punin

C S0704-12 Nikolai Punin

C S0704-13 Nikolai Punin

C S0704-15 Nikolai Punin

C S0704-16 Nikolai Punin

C S0704-17 Nikolai Punin

C S0704-18 Nikolai Punin

C S0704-19 Nikolai Punin

C S0704-20 Nikolai Punin

C S0704-21 Nikolai Punin

C S0704-22 Nikolai Punin

C S0704-23 Nikolai Punin

C S0704-24 Nikolai Punin

C S0704-25 Nikolai Punin

C S0704-26 Nikolai Punin

C S0704-27 Nikolai Punin

C S0704-45 Nikolai Punin

C S0704-30 Nikolai Punin

C S0704-31 Nikolai Punin

C S0704-32 Nikolai Punin

C S0704-33 Nikolai Punin

C S0704-34 Nikolai Punin

C S0704-35 Nikolai Punin

C S0704-36 Nikolai Punin

C S0704-37 Nikolai Punin

C S0704-38 Nikolai Punin

C S0704-29 Nikolai Punin

C S0704-40 Nikolai Punin

C S0704-41 Nikolai Punin

C S0704-42 Nikolai Punin

C S0704-43 Nikolai Punin

C S0704-44 Nikolai Punin

C S0704-28 Nikolai Punin

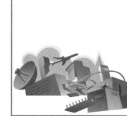

C S0704-46 Nikolai Punin

Price level A Icon $90 Spot $150 ¼ page $195 Price level B Icon $125 Spot $190 ¼ page $250
Price level C Icon $160 Spot $240 ¼ page $315 Price level D Icon $230 Spot $320 ¼ page $420

C S0704-47 Nikolai Punin

C S0704-48 Nikolai Punin

C S0704-49 Nikolai Punin

C S0704-50 Nikolai Punin

C S0704-51 Nikolai Punin

C S0704-52 Nikolai Punin

C S0704-53 Nikolai Punin

C S0704-54 Nikolai Punin

C S0704-55 Nikolai Punin

C S0704-56 Nikolai Punin

B S0338-01 Eric Westbrook

B S0338-02 Eric Westbrook

C S0338-03 Eric Westbrook

C S0338-09 Eric Westbrook

C S0338-11 Eric Westbrook

C S0338-06 Eric Westbrook

B S0338-07 Eric Westbrook

C S0338-08 Eric Westbrook

C S0338-04 Eric Westbrook

C S0338-10 Eric Westbrook

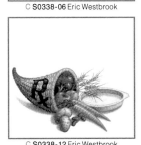
C S0338-12 Eric Westbrook

B S0338-13 Eric Westbrook

B S0338-14 Eric Westbrook

C S0338-15 Eric Westbrook

C S0338-16 Eric Westbrook

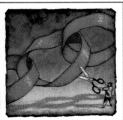
C S0338-17 Eric Westbrook

B S0338-18 Eric Westbrook

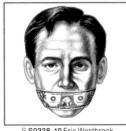
B S0338-19 Eric Westbrook

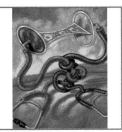
C S0338-20 Eric Westbrook

B S0338-21 Eric Westbrook

C S0338-22 Eric Westbrook

B S0338-23 Eric Westbrook

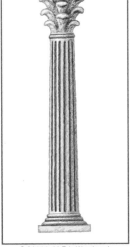
C S0338-29 Eric Westbrook

B S0338-24 Eric Westbrook

C S0338-25 Eric Westbrook

B S0338-26 Eric Westbrook

B S0338-27 Eric Westbrook

B S0338-28 Eric Westbrook

B S0338-30 Eric Westbrook

B S0338-31 Eric Westbrook

B S0338-32 Eric Westbrook

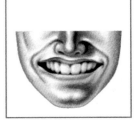
B S0338-33 Eric Westbrook

Price level A Icon $90 Spot $150 ¼ page $195   Price level B Icon $125 Spot $190 ¼ page $250
Price level C Icon $160 Spot $240 ¼ page $315   Price level D Icon $230 Spot $320 ¼ page $420

C S0314-48 José Ortega

C S0314-01 José Ortega

C S0314-02 José Ortega

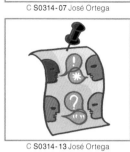
C S0314-03 José Ortega

C S0314-04 José Ortega

C S0314-05 José Ortega

C S0314-06 José Ortega

C S0314-07 José Ortega

C S0314-08 José Ortega

C S0314-09 José Ortega

C S0314-10 José Ortega

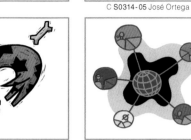
C S0314-11 José Ortega

C S0314-12 José Ortega

C S0314-13 José Ortega

C S0314-14 José Ortega

C S0314-15 José Ortega

C S0314-16 José Ortega

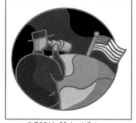
C S0314-17 José Ortega

C S0314-18 José Ortega

C S0314-19 José Ortega

C S0314-20 José Ortega

C S0314-21 José Ortega

C S0314-22 José Ortega

C S0314-23 José Ortega

C S0314-24 José Ortega

C S0314-25 José Ortega

C S0314-26 José Ortega

C S0314-27 José Ortega

C S0314-28 José Ortega

C S0314-29 José Ortega

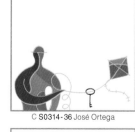
C S0314-30 José Ortega

C S0314-31 José Ortega

C S0314-32 José Ortega

C S0314-33 José Ortega

C S0314-34 José Ortega

C S0314-35 José Ortega

C S0314-36 José Ortega

C S0314-37 José Ortega

C S0314-38 José Ortega

C S0314-39 José Ortega

C S0314-40 José Ortega

C S0314-41 José Ortega

C S0314-42 José Ortega

C S0314-43 José Ortega

C S0314-44 José Ortega

Price level A Icon $90 Spot $150 ¼ page $195 Price level B Icon $125 Spot $190 ¼ page $250
Price level C Icon $160 Spot $240 ¼ page $315 Price level D Icon $230 Spot $320 ¼ page $420

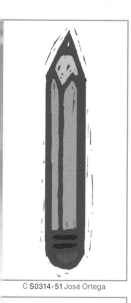

C S0314-45 José Ortega

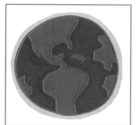

C S0314-46 José Ortega

C S0314-47 José Ortega

C S0314-49 José Ortega

C S0314-50 José Ortega

C S0314-51 José Ortega

C S0314-52 José Ortega

C S0314-53 José Ortega

C S0314-54 José Ortega

C S0314-55 José Ortega

C S0314-56 José Ortega

C S0314-57 José Ortega

C S0314-58 José Ortega

C S0314-59 José Ortega

C S0314-60 José Ortega

C S0314-61 José Ortega

C S0314-62 José Ortega

C S0314-63 José Ortega

C S0314-64 José Ortega

C S0314-65 José Ortega

C S0314-66 José Ortega

C S1425-01 Larry Knox

C S1425-02 Larry Knox

C S1425-03 Larry Knox

C S1425-04 Larry Knox

C S1425-05 Larry Knox

C S1425-06 Larry Knox

C S1425-07 Larry Knox

C S1425-08 Larry Knox

C S1425-09 Larry Knox

C S1425-10 Larry Knox

C S1425-11 Larry Knox

C S1425-12 Larry Knox

C S1425-13 Larry Knox

C S1425-14 Larry Knox

C S1425-15 Larry Knox

C S1425-16 Larry Knox

C S1425-17 Larry Knox

C S1425-18 Larry Knox

C S1425-19 Larry Knox

C S1425-20 Larry Knox

C S1425-21 Larry Knox

C S1425-22 Larry Knox

C S1425-23 Larry Knox

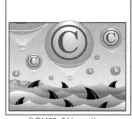

C S1425-24 Larry Knox

Price level A Icon $90 Spot $150 ¼ page $195 Price level B Icon $125 Spot $190 ¼ page $250
Price level C Icon $160 Spot $240 ¼ page $315 Price level D Icon $230 Spot $320 ¼ page $420
www.images.com 17

C S0549-01 Lisa Henderling

C S0549-02 Lisa Henderling

C S0549-03 Lisa Henderling

C S0549-05 Lisa Henderling

C S0549-06 Lisa Henderling

C S0549-04 Lisa Henderling

C S0549-07 Lisa Henderling

C S0549-08 Lisa Henderling

C S0549-09 Lisa Henderling

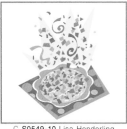
C S0549-10 Lisa Henderling

C S0549-11 Lisa Henderling

C S0549-12 Lisa Henderling

C S0549-13 Lisa Henderling

C S0549-14 Lisa Henderling

C S0549-15 Lisa Henderling

C S0549-16 Lisa Henderling

C S0549-17 Lisa Henderling

C S0549-18 Lisa Henderling

C S0549-19 Lisa Henderling

C S0549-20 Lisa Henderling

C S0549-21 Lisa Henderling

C S0549-22 Lisa Henderling

C S0549-23 Lisa Henderling

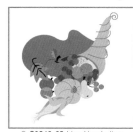
C S0549-24 Lisa Henderling

C S0549-25 Lisa Henderling

C S0549-26 Lisa Henderling

C S0549-27 Lisa Henderling

C S0549-28 Lisa Henderling

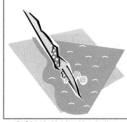
C S0549-29 Lisa Henderling

C S0549-30 Lisa Henderling

C S0549-31 Lisa Henderling

C S0549-32 Lisa Henderling

C S0549-33 Lisa Henderling

C S0549-34 Lisa Henderling

C S0549-35 Lisa Henderling

C S0549-36 Lisa Henderling

C S0549-37 Lisa Henderling

C S0549-38 Lisa Henderling   C S0549-39 Lisa Henderling   C S0549-40 Lisa Henderling   C S0549-41 Lisa Henderling   C S0549-42 Lisa Henderling   C S0549-45 Lisa Henderling

www.images.com

Price level A Icon $90 Spot $150 ¼ page $195 Price level B Icon $125 Spot $190 ¼ page $250
Price level C Icon $160 Spot $240 ¼ page $315 Price level D Icon $230 Spot $320 ¼ page $420

C S0549-43 Lisa Henderling

C S0549-44 Lisa Henderling

C S0549-46 Lisa Henderling

C S0549-47 Lisa Henderling

C S0549-48 Lisa Henderling

C S0549-49 Lisa Henderling

C S0549-50 Lisa Henderling

C S0549-51 Lisa Henderling

C S0549-52 Lisa Henderling

C S0549-53 Lisa Henderling

C S0549-54 Lisa Henderling

C S0549-55 Lisa Henderling

C S0549-56 Lisa Henderling

C S0549-57 Lisa Henderling

C S0549-58 Lisa Henderling

C S0549-59 Lisa Henderling

C S0549-60 Lisa Henderling

C S0549-61 Lisa Henderling

C S0092-01 Ned Shaw

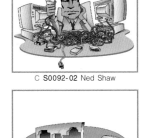
C S0092-02 Ned Shaw

C S0092-04 Ned Shaw

C S0092-03 Ned Shaw

C S0092-05 Ned Shaw

C S0092-06 Ned Shaw

C S0092-07 Ned Shaw

C S0092-08 Ned Shaw

C S0092-09 Ned Shaw

C S0092-10 Ned Shaw

C S0092-11 Ned Shaw

C S0092-12 Ned Shaw

C S0092-13 Ned Shaw

C S0092-14 Ned Shaw

C S0092-15 Ned Shaw

C S1366-01 Judith Gosse

C S1366-02 Judith Gosse

C S1366-03 Judith Gosse

C S1366-04 Judith Gosse

C S1366-05 Judith Gosse

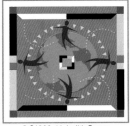
C S1366-06 Judith Gosse

C S1366-07 Judith Gosse

C S1366-08 Judith Gosse

C S1366-09 Judith Gosse

C S1366-10 Judith Gosse

C S1366-11 Judith Gosse

C S1366-12 Judith Gosse

C S1366-13 Judith Gosse

Price level A Icon $90 Spot $150 ¼ page $195 Price level B Icon $125 Spot $190 ¼ page $250
Price level C Icon $160 Spot $240 ¼ page $315 Price level D Icon $230 Spot $320 ¼ page $420
www.images.com   19

B S0254-30 Kevin Pope

B S0254-02 Kevin Pope

B S0254-01 Kevin Pope

B S0254-04 Kevin Pope

B S0254-20 Kevin Pope

B S0254-19 Kevin Pope

B S0254-07 Kevin Pope

B S0254-08 Kevin Pope

B S0254-10 Kevin Pope

B S0254-34 Kevin Pope

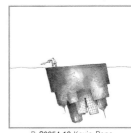
B S0254-11 Kevin Pope

B S0254-12 Kevin Pope

B S0254-48 Kevin Pope

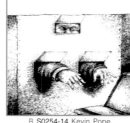
B S0254-14 Kevin Pope

B S0254-09 Kevin Pope

B S0254-15 Kevin Pope

B S0254-13 Kevin Pope

B S0254-18 Kevin Pope

B S0254-23 Kevin Pope

B S0254-33 Kevin Pope

B S0254-21 Kevin Pope

B S0254-22 Kevin Pope

B S0254-13 Kevin Pope

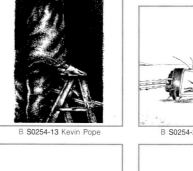
B S0254-24 Kevin Pope

B S0254-49 Kevin Pope

B S0254-26 Kevin Pope

B S0254-27 Kevin Pope

B S0254-28 Kevin Pope

B S0254-29 Kevin Pope

B S0254-43 Kevin Pope

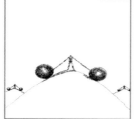
B S0254-25 Kevin Pope

B S0254-32 Kevin Pope

B S0254-03 Kevin Pope

B S0254-35 Kevin Pope

B S0254-16 Kevin Pope

B S0254-36 Kevin Pope

B S0254-37 Kevin Pope

B S0254-38 Kevin Pope

B S0254-39 Kevin Pope

B S0254-06 Kevin Pope

B S0254-40 Kevin Pope

B S0254-41 Kevin Pope

B S0254-31 Kevin Pope

B S0254-44 Kevin Pope

B S0254-45 Kevin Pope

B S0254-46 Kevin Pope

B S0254-47 Kevin Pope

B S0254-42 Kevin Pope

Price level A Icon $90 Spot $150 ¼ page $195 Price level B Icon $125 Spot $190 ¼ page $250
Price level C Icon $160 Spot $240 ¼ page $315 Price level D Icon $230 Spot $320 ¼ page $420

C S0383-29 Sally Wern Comport

C S0383-04 Sally Wern Comport

C S0383-03 Sally Wern Comport

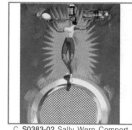
C S0383-14 Sally Wern Comport

C S0383-02 Sally Wern Comport

C S0383-09 Sally Wern Comport

C S0383-10 Sally Wern Comport

C S0383-18 Sally Wern Comport

C S0383-13 Sally Wern Comport

C S0383-36 Sally Wern Comport

C S0383-08 Sally Wern Comport

C S0383-16 Sally Wern Comport

C S0383-17 Sally Wern Comport

C S0383-30 Sally Wern Comport

C S0383-38 Sally Wern Comport

C S0383-20 Sally Wern Comport

C S0383-21 Sally Wern Comport

C S0383-22 Sally Wern Comport

C S0383-25 Sally Wern Comport

C S0383-26 Sally Wern Comport

C S0383-28 Sally Wern Comport

C S0383-15 Sally Wern Comport

C S0383-24 Sally Wern Comport

C S0383-31 Sally Wern Comport

C S0383-32 Sally Wern Comport

C S0383-33 Sally Wern Comport

C S0383-34 Sally Wern Comport

C S0383-35 Sally Wern Comport

C S0383-23 Sally Wern Comport

C S0383-37 Sally Wern Comport

C S0383-19 Sally Wern Comport

C S0383-39 Sally Wern Comport

C S0383-01 Sally Wern Comport

C S0383-07 Sally Wern Comport

C S0383-06 Sally Wern Comport

C S0383-12 Sally Wern Comport

C S0383-27 Sally Wern Comport

C S0383-05 Sally Wern Comport

C S0383-11 Sally Wern Comport

C S0383-40 Sally Wern Comport

Price level A Icon $90 Spot $150 ¼ page $195 Price level B Icon $125 Spot $190 ¼ page $250
Price level C Icon $160 Spot $240 ¼ page $315 Price level D Icon $230 Spot $320 ¼ page $420

www.images.com

21

 C S1333 - 56 Alex Bloch
 C S1333 - 04 Alex Bloch
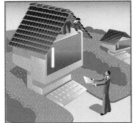 C S1333 - 16 Alex Bloch
 C S1333 - 26 Alex Bloch
 C S1333 - 25 Alex Bloch
 C S1333 - 02 Alex Bloch

 C S1333 - 66 Alex Bloch
 C S1333 - 78 Alex Bloch
 C S1333 - 37 Alex Bloch
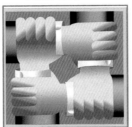 C S1333 - 33 Alex Bloch
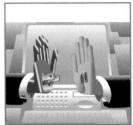 C S1333 - 22 Alex Bloch
 C S1333 - 12 Alex Bloch

 C S1333 - 17 Alex Bloch
 C S1333 - 13 Alex Bloch
 C S1333 - 45 Alex Bloch
 C S1333 - 71 Alex Bloch
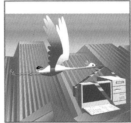 C S1333 - 96 Alex Bloch
 C S1333 - 88 Alex Bloch

 C S1333 - 20 Alex Bloch
 C S1333 - 32 Alex Bloch
 C S1333 - 47 Alex Bloch
 C S1333 - 60 Alex Bloch
 C S1333 - 83 Alex Bloch

 C S1333 - 27 Alex Bloch
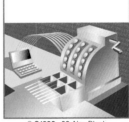 C S1333 - 06 Alex Bloch
 C S1333 - 38 Alex Bloch
 C S1333 - 09 Alex Bloch
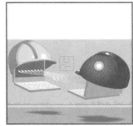 C S1333 - 03 Alex Bloch
 C S1333 - 30 Alex Bloch

 C S1333 - 82 Alex Bloch
 C S1333 - 40 Alex Bloch
 C S1333 - 93 Alex Bloch
 C S1333 - 34 Alex Bloch
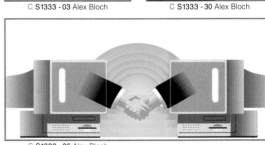 C S1333 - 35 Alex Bloch

 C S1333 - 68 Alex Bloch
 C S1333 - 14 Alex Bloch
 C S1333 - 21 Alex Bloch
C S1333 - 49 Alex Bloch
 C S1333 - 74 Alex Bloch
 C S1333 - 42 Alex Bloch

 C S1333 - 39 Alex Bloch
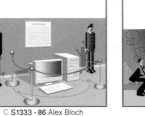 C S1333 - 86 Alex Bloch
  C S1333 - 92 Alex Bloch
 C S1333 - 97 Alex Bloch
 C S1333 - 87 Alex Bloch

Price level A Icon $90 Spot $150 ¼ page $195 Price level B Icon $125 Spot $190 ¼ page $250
Price level C Icon $160 Spot $240 ¼ page $315 Price level D Icon $230 Spot $320 ¼ page $420

 C S1333 - 51 Alex Bloch  C S1333 - 90 Alex Bloch  C S1333 - 64 Alex Bloch  C S1333 - 15 Alex Bloch  C S1333 - 62 Alex Bloch 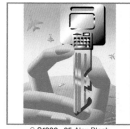 C S1333 - 85 Alex Bloch

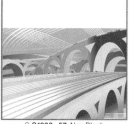 C S1333 - 57 Alex Bloch  C S1333 - 58 Alex Bloch  C S1333 - 55 Alex Bloch  C S1333 - 75 Alex Bloch 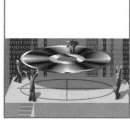 C S1333 - 77 Alex Bloch  C S1333 - 73 Alex Bloch

 C S1333 - 61 Alex Bloch  C S1333 - 69 Alex Bloch  C S1333 - 76 Alex Bloch  C S1333 - 65 Alex Bloch  C S1333 - 18 Alex Bloch

 C S1333 - 67 Alex Bloch  C S1333 - 63 Alex Bloch  C S1333 - 95 Alex Bloch  C S1333 - 84 Alex Bloch  C S1333 - 59 Alex Bloch  C S1333 - 23 Alex Bloch

 C S1333 - 72 Alex Bloch  C S1333 - 41 Alex Bloch  C S1333 - 28 Alex Bloch  C S1333 - 36 Alex Bloch  C S1333 - 50 Alex Bloch

 C S1333 - 79 Alex Bloch  C S1333 - 80 Alex Bloch  C S1333 - 81 Alex Bloch  C S1333 - 94 Alex Bloch  C S1333 - 91 Alex Bloch  C S1333 - 44 Alex Bloch

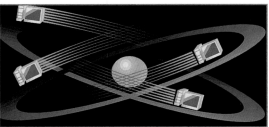 C S1333 - 70 Alex Bloch C S1333 - 11 Alex Bloch C S1333 - 29 Alex Bloch

 C S1333 - 89 Alex Bloch C S1333 - 43 Alex Bloch C S1333 - 31 Alex Bloch  C S1333 - 52 Alex Bloch  C S1333 - 46 Alex Bloch C S1333 - 07 Alex Bloch

Price level A Icon $90 Spot $150 ¼ page $195 Price level B Icon $125 Spot $190 ¼ page $250
Price level C Icon $160 Spot $240 ¼ page $315 Price level D Icon $230 Spot $320 ¼ page $420

www.images.com 23

C S1333 - 19 Alex Bloch

C S1333 - 08 Alex Bloch

C S1333 - 98 Alex Bloch

C S1333 - 05 Alex Bloch

C S1333 - 53 Alex Bloch

C S1333 - 24 Alex Bloch

C S1333 - 01 Alex Bloch

C S1333 - 54 Alex Bloch

C S1333 - 48 Alex Bloch

C S0023 - 01 Jude Maceren

C S0023 - 02 Jude Maceren

C S0023 - 06 Jude Maceren

C S0023 - 04 Jude Maceren

C S0023 - 05 Jude Maceren

C S0023 - 32 Jude Maceren

C S0023 - 28 Jude Maceren

C S0023 - 03 Jude Maceren

C S0023 - 08 Jude Maceren

C S0023 - 09 Jude Maceren

C S0023 - 11 Jude Maceren

C S0023 - 14 Jude Maceren

C S0023 - 10 Jude Maceren

C S0023 - 15 Jude Maceren

C S0023 - 16 Jude Maceren

C S0023 - 23 Jude Maceren

C S0023 - 24 Jude Maceren

C S0023 - 26 Jude Maceren

C S0023 - 31 Jude Maceren

C S0023 - 33 Jude Maceren

C S0023 - 25 Jude Maceren

C S0023 - 22 Jude Maceren

C S0023 - 12 Jude Maceren

C S0023 - 07 Jude Maceren

C S0023 - 21 Jude Maceren

C S0023 - 27 Jude Maceren

C S0023 - 20 Jude Maceren

C S0023 - 30 Jude Maceren

C S0023 - 29 Jude Maceren

C S0023 - 19 Jude Maceren

C S0023 - 13 Jude Maceren

C S0023 - 18 Jude Maceren

C S0023 - 17 Jude Maceren

www.images.com

Price level A Icon $90 Spot $150 ¼ page $195   Price level B Icon $125 Spot $190 ¼ page $250
Price level C Icon $160 Spot $240 ¼ page $315   Price level D Icon $230 Spot $320 ¼ page $420

C S0378-23 Paul Schulenburg

B S0378-13 Paul Schulenburg

B S0378-32 Paul Schulenburg

B S0378-25 Paul Schulenburg

B S0378-05 Paul Schulenburg

B S0378-17 Paul Schulenburg

B S0378-02 Paul Schulenburg

B S0378-28 Paul Schulenburg

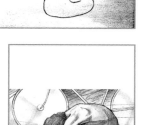
B S0378-09 Paul Schulenburg

C S0378-10 Paul Schulenburg

B S0378-11 Paul Schulenburg

C S0378-03 Paul Schulenburg

B S0378-31 Paul Schulenburg

B S0378-26 Paul Schulenburg

C S0378-16 Paul Schulenburg

B S0378-38 Paul Schulenburg

B S0378-20 Paul Schulenburg

B S0378-21 Paul Schulenburg

B S0378-22 Paul Schulenburg

B S0378-40 Paul Schulenburg

B S0378-36 Paul Schulenburg

B S0378-19 Paul Schulenburg

B S0378-27 Paul Schulenburg

B S0378-41 Paul Schulenburg

C S0378-14 Paul Schulenburg

C S0378-15 Paul Schulenburg

B S0378-18 Paul Schulenburg

B S0378-30 Paul Schulenburg

C S0378-01 Paul Schulenburg

B S0378-37 Paul Schulenburg

B S0378-34 Paul Schulenburg

B S0378-39 Paul Schulenburg

B S0378-08 Paul Schulenburg

B S0378-04 Paul Schulenburg

C S0378-06 Paul Schulenburg

C S0378-43 Paul Schulenburg

B S0378-29 Paul Schulenburg

B S0378-33 Paul Schulenburg

Price level A Icon $90 Spot $150 ¼ page $195 Price level B Icon $125 Spot $190 ¼ page $250
Price level C Icon $160 Spot $240 ¼ page $315 Price level D Icon $230 Spot $320 ¼ page $420
www.images.com
25

B S1449-04 Kevin A. Short

B S1449-01 Kevin A. Short

B S1449-02 Kevin A. Short

B S1449-03 Kevin A. Short

B S1449-05 Kevin A. Short

B S1449-06 Kevin A. Short

B S1449-07 Kevin A. Short

B S1449-08 Kevin A. Short

B S1449-09 Kevin A. Short

B S1449-10 Kevin A. Short

B S1449-12 Kevin A. Short

B S1449-13 Kevin A. Short

B S1449-14 Kevin A. Short

B S1449-11 Kevin A. Short

B S1449-15 Kevin A. Short

B S1449-16 Kevin A. Short

B S1449-17 Kevin A. Short

B S1449-18 Kevin A. Short

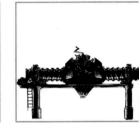
B S1449-19 Kevin A. Short

B S1449-20 Kevin A. Short

B S1449-21 Kevin A. Short

B S1449-22 Kevin A. Short

B S1449-23 Kevin A. Short

B S1449-24 Kevin A. Short

B S1418-01 Kara Fellows

B S1418-02 Kara Fellows

B S1418-03 Kara Fellows

B S1418-04 Kara Fellows

B S1418-05 Kara Fellows

B S1418-06 Kara Fellows

B S1418-07 Kara Fellows

B S1418-08 Kara Fellows

B S1418-09 Kara Fellows

B S1418-10 Kara Fellows

B S1418-11 Kara Fellows

B S1418-12 Kara Fellows

B S1418-13 Kara Fellows

B S1418-14 Kara Fellows

B S1418-15 Kara Fellows

B S1418-16 Kara Fellows

B S1418-17 Kara Fellows

B S1418-18 Kara Fellows

B S1418-19 Kara Fellows

B S1418-20 Kara Fellows

Price level A Icon $90 Spot $150 ¼ page $195   Price level B Icon $125 Spot $190 ¼ page $250
Price level C Icon $160 Spot $240 ¼ page $315   Price level D Icon $230 Spot $320 ¼ page $420

D S0735-02 James Endicott

D S0735-01 James Endicott

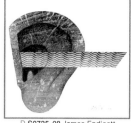

D S0735-08 James Endicott

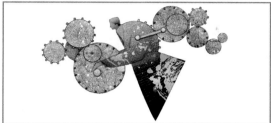

D S0735-04 James Endicott

D S0735-18 James Endicott

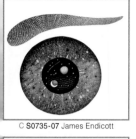

C S0735-07 James Endicott

C S0735-05 James Endicott

C S0735-17 James Endicott

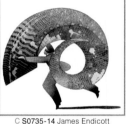

C S0735-14 James Endicott

C S0735-15 James Endicott

D S0735-16 James Endicott

C S0735-19 James Endicott

C S0735-11 James Endicott

C S0735-12 James Endicott

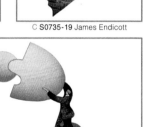

C S0735-20 James Endicott

D S0735-13 James Endicott

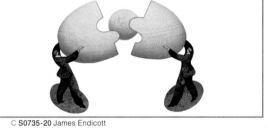

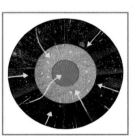

C S0735-09 James Endicott

C S0735-10 James Endicott

D S0735-06 James Endicott

C S1419-04 Fiona King

C S1419-01 Fiona King

C S1419-02 Fiona King

C S1419-03 Fiona King

C S1419-06 Fiona King

C S1419-07 Fiona King

C S1419-08 Fiona King

C S1419-05 Fiona King

C S1419-10 Fiona King

C S1419-09 Fiona King

Price level A Icon $90 Spot $150 ¼ page $195 Price level B Icon $125 Spot $190 ¼ page $250
Price level C Icon $160 Spot $240 ¼ page $315 Price level D Icon $230 Spot $320 ¼ page $420

www.images.com

27

B S0205-14 Jim Dandy

B S0205-03 Jim Dandy

B S0205-04 Jim Dandy

B S0205-05 Jim Dandy

B S0205-06 Jim Dandy

B S0205-09 Jim Dandy

B S0205-10 Jim Dandy

B S0205-11 Jim Dandy

B S0205-12 Jim Dandy

B S0205-13 Jim Dandy

B S0205-08 Jim Dandy

B S0205-15 Jim Dandy

B S0205-16 Jim Dandy

B S0205-02 Jim Dandy

B S0205-18 Jim Dandy

B S0205-07 Jim Dandy

B S0205-20 Jim Dandy

B S0205-21 Jim Dandy

B S0205-22 Jim Dandy

B S0205-23 Jim Dandy

B S0205-01 Jim Dandy

B S0205-25 Jim Dandy

B S0205-26 Jim Dandy

B S0205-27 Jim Dandy

B S0205-28 Jim Dandy

B S0205-29 Jim Dandy

B S0205-30 Jim Dandy

B S0205-31 Jim Dandy

B S0205-32 Jim Dandy

B S0205-33 Jim Dandy

B S0205-34 Jim Dandy

B S0205-35 Jim Dandy

B S0205-36 Jim Dandy

B S0205-37 Jim Dandy

B S0205-38 Jim Dandy

B S0205-39 Jim Dandy

B S0205-40 Jim Dandy

B S0205-41 Jim Dandy

B S0205-42 Jim Dandy

B0205-43 Jim Dandy

B S0205-44 Jim Dandy

B S0205-45 Jim Dandy

B S0205-46 Jim Dandy

B S0205-47 Jim Dandy

B S0205-48 Jim Dandy

Price level A Icon $90 Spot $150 ¼ page $195 Price level B Icon $125 Spot $190 ¼ page $250
Price level C Icon $160 Spot $240 ¼ page $315 Price level D Icon $230 Spot $320 ¼ page $420

Gary Baseman

Represented by Jan Collier (415) 383-9026 (415) 383-9037 fax collierreps.com
East & Editorial (323) 934-5567 (323) 934-5516 fax

Min Jae Hong • 54 Points of View • Warwick, NY 10990 • Tel: 914-986-8040 • Fax: 914-987-1002 • Email: blink@warwick.net • www.blinkstudio.com

DIANE FENSTER

PHOTO
illustration

Darling, you are all the lonely hometowns
in Texas, brown and sun-burnt, a little ...

Arlington

Cameron

Langtry

NO MERCY
by
CONSTANCE CONGDON

I am
become
death
the
shatterer
of
worlds

Chapter 7
Chapter 9
Chapter 11
Chapter 12
Chapter 13

Chronicle FINAL
Suspect Caught!

→ PORTFOLIO ONLINE AT www.sirius.com/~fenster

EDITORIAL & STUDIO   PHONE & FAX 650.355.5007   EMAIL fenster@sfsu.edu

CORPORATE & ADVERTISING REPRESENTED BY FREDA SCOTT   PHONE 415.398.9121   FAX 415.398.6136

American *Eagle*

KEVIN SPROULS
609.965.4795
studio/fax
e-mail: ksprouls@bellatlantic.net

CALL NOW

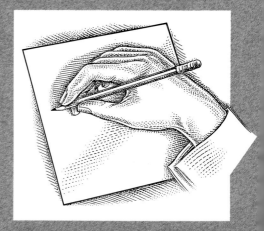

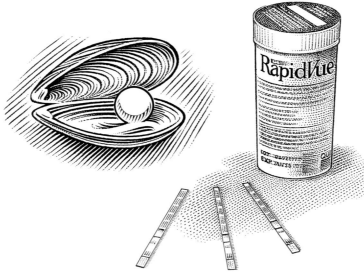

RapidVue

B S0205-49 Jim Dandy

B S0205-50 Jim Dandy

B S0205-51 Jim Dandy

B S0205-52 Jim Dandy

B S0205-53 Jim Dandy

C S0205-54 Jim Dandy

C S0205-55 Jim Dandy

C S0205-56 Jim Dandy

C S0205-57 Jim Dandy

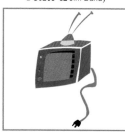
C S0205-58 Jim Dandy

C S0205-59 Jim Dandy

C S0205-60 Jim Dandy

C S0205-61 Jim Dandy

C S0205-62 Jim Dandy

C S0205-63 Jim Dandy

C S0205-64 Jim Dandy

C S0205-65 Jim Dandy

C S0205-66 Jim Dandy

C S0205-68 Jim Dandy

C S0205-69 Jim Dandy

C S0205-70 Jim Dandy

C S0205-71 Jim Dandy

C S0205-72 Jim Dandy

C S0205-73 Jim Dandy

C S0205-74 Jim Dandy

C S0205-75 Jim Dandy

C S0205-76 Jim Dandy

C S0205-77 Jim Dandy

C S0205-78 Jim Dandy

C S0205-79 Jim Dandy

C S0205-80 Jim Dandy

C S0205-81 Jim Dandy

C S0205-67 Jim Dandy

C S0205-83 Jim Dandy

C S0205-84 Jim Dandy

C S0205-85 Jim Dandy

C S0205-86 Jim Dandy

C S0205-87 Jim Dandy

C S0205-88 Jim Dandy

C S0205-89 Jim Dandy

C S0205-90 Jim Dandy

C S0205-91 Jim Dandy

C S0205-92 Jim Dandy

C S0205-93 Jim Dandy

C S0205-94 Jim Dandy

C S0205-95 Jim Dandy

Price level A Icon $90 Spot $150 ¼ page $195 Price level B Icon $125 Spot $190 ¼ page $250
Price level C Icon $160 Spot $240 ¼ page $315 Price level D Icon $230 Spot $320 ¼ page $420
www.images.com

C S0205-103 Jim Dandy

C S0205-96 Jim Dandy

C S0205-97 Jim Dandy

C S0205-98 Jim Dandy

C S0205-99 Jim Dandy

C S0205-100 Jim Dandy

C S0205-101 Jim Dandy

C S0205-102 Jim Dandy

C S0205-105 Jim Dandy

C S0205-106 Jim Dandy

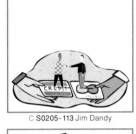

C S0205-107 Jim Dandy

C S0205-108 Jim Dandy

C S0205-104 Jim Dandy

C S0205-109 Jim Dandy

C S0205-110 Jim Dandy

C S0205-111 Jim Dandy

C S0205-113 Jim Dandy

C S0205-112 Jim Dandy

B S1430-01 Scott Fattig

B S1430-02 Scott Fattig

B S1430-03 Scott Fattig

B S1430-04 Scott Fattig

B S1430-05 Scott Fattig

B S1430-06 Scott Fattig

B S1430-07 Scott Fattig

B S1430-08 Scott Fattig

B S1430-09 Scott Fattig

B S1430-10 Scott Fattig

B S1430-11 Scott Fattig

B S1430-12 Scott Fattig

B S1430-13 Scott Fattig

B S1430-14 Scott Fattig

B S1430-15 Scott Fattig

B S1430-16 Scott Fattig

B S1430-17 Scott Fattig

B S1430-18 Scott Fattig

B S1430-19 Scott Fattig

B S1430-20 Scott Fattig

B S1430-21 Scott Fattig

B S1430-22 Scott Fattig

B S1430-23 Scott Fattig

B S1430-24 Scott Fattig

B S1430-25 Scott Fattig

Price level A Icon $90 Spot $150 ¼ page $195 Price level B Icon $125 Spot $190 ¼ page $250
Price level C Icon $160 Spot $240 ¼ page $315 Price level D Icon $230 Spot $320 ¼ page $420

 B S1184-01 Jan Sessler

 B S1184-02 Jan Sessler

 B S1184-03 Jan Sessler

 B S1184-04 Jan Sessler

 B S1184-05 Jan Sessler

 B S1184-06 Jan Sessler

 B S1184-07 Jan Sessler

 B S1184-08 Jan Sessler

 B S1184-09 Jan Sessler

 B S1184-10 Jan Sessler

 B S1184-11 Jan Sessler

 B S1184-12 Jan Sessler

 B S1184-13 Jan Sessler

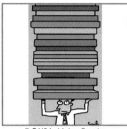 B S1184-14 Jan Sessler

 B S1184-15 Jan Sessler

 B S1184-16 Jan Sessler

 B S1184-17 Jan Sessler

 B S1184-18 Jan Sessler

 B S1184-19 Jan Sessler

 B S1184-20 Jan Sessler

 B S1184-21 Jan Sessler

 B S1184-22 Jan Sessler

 B S1184-23 Jan Sessler

 B S1184-24 Jan Sessler

 B S1184-25 Jan Sessler

 B S1184-26 Jan Sessler

 B S1184-27 Jan Sessler

 B S1184-28 Jan Sessler

 B S1184-29 Jan Sessler

 B S1184-30 Jan Sessler

 B S1184-31 Jan Sessler

 B S1184-32 Jan Sessler

 B S1184-33 Jan Sessler

 B S1184-34 Jan Sessler

 B S1184-35 Jan Sessler

 B S1184-36 Jan Sessler

 B S1184-37 Jan Sessler

 B S1184-38 Jan Sessler

 B S1184-39 Jan Sessler

 B S1184-40 Jan Sessler

 B S1184-41 Jan Sessler

 B S1184-42 Jan Sessler

 B S1184-43 Jan Sessler

 B S1184-44 Jan Sessler

 B S1184-45 Jan Sessler

 B S1184-46 Jan Sessler

 B S1184-47 Jan Sessler

 B S1184-48 Jan Sessler

Price level A Icon $90 Spot $150 ¼ page $195   Price level B Icon $125 Spot $190 ¼ page $250
Price level C Icon $160 Spot $240 ¼ page $315   Price level D Icon $230 Spot $320 ¼ page $420

C S1106-18 Teofilo Olivieri

C S1106-44 Teofilo Olivieri

C S1106-07 Teofilo Olivieri

C S1106-06 Teofilo Olivieri

C S1106-37 Teofilo Olivieri

C S1106-02 Teofilo Olivieri

C S1106-46 Teofilo Olivieri

C S1106-21 Teofilo Olivieri

C S1106-10 Teofilo Olivieri

C S1106-12 Teofilo Olivieri

C S1106-13 Teofilo Olivieri

C S1106-14 Teofilo Olivieri

C S1106-15 Teofilo Olivieri

C S1106-16 Teofilo Olivieri

C S1106-17 Teofilo Olivieri

C S1106-04 Teofilo Olivieri

C S1106-09 Teofilo Olivieri

C S1106-35 Teofilo Olivieri

C S1106-19 Teofilo Olivieri

C S1106-20 Teofilo Olivieri

C S1106-24 Teofilo Olivieri

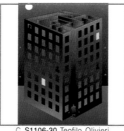

C S1106-23 Teofilo Olivieri

C S1106-05 Teofilo Olivieri

C S1106-28 Teofilo Olivieri

C S1106-39 Teofilo Olivieri

C S1106-30 Teofilo Olivieri

C S1106-45 Teofilo Olivieri

C S1106-33 Teofilo Olivieri

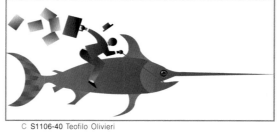

C S1106-40 Teofilo Olivieri

C S1106-34 Teofilo Olivieri

C S1106-22 Teofilo Olivieri

C S1106-26 Teofilo Olivieri

C S1106-36 Teofilo Olivieri

C S1106-01 Teofilo Olivieri

C S1106-03 Teofilo Olivieri

C S1106-43 Teofilo Olivieri

C S1106-25 Teofilo Olivieri

C S1106-32 Teofilo Olivieri

Price level A Icon $90 Spot $150 ¼ page $195 Price level B Icon $125 Spot $190 ¼ page $250
Price level C Icon $160 Spot $240 ¼ page $315 Price level D Icon $230 Spot $320 ¼ page $420

C S1106-29 Teofilo Olivieri

C S1106-47 Teofilo Olivieri

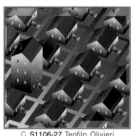
C S1106-42 Teofilo Olivieri

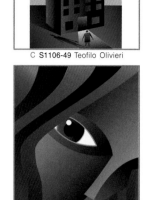
C S1106-49 Teofilo Olivieri

C S1106-52 Teofilo Olivieri

C S1106-53 Teofilo Olivieri

C S1106-41 Teofilo Olivieri

C S1106-38 Teofilo Olivieri

C S1106-08 Teofilo Olivieri

C S1106-27 Teofilo Olivieri

C S1106-51 Teofilo Olivieri

C S1106-55 Teofilo Olivieri

C S1106-11 Teofilo Olivieri

C S1106-48 Teofilo Olivieri

C S1106-50 Teofilo Olivieri

C S1106-31 Teofilo Olivieri

C S1106-56 Teofilo Olivieri

C S0284-01 Eric Kittelberger

C S0284-03 Eric Kittelberger

C S0284-04 Eric Kittelberger

C S0284-05 Eric Kittelberger

C S0284-06 Eric Kittelberger

C S0284-09 Eric Kittelberger

C S0284-10 Eric Kittelberger

C S0284-11 Eric Kittelberger

B S0284-07 Eric Kittelberger

C S0284-02 Eric Kittelberger

C S0284-08 Eric Kittelberger

B S1428-01 Linda Davick

B S1428-02 Linda Davick

B S1428-03 Linda Davick

B S1428-04 Linda Davick

B S1428-05 Linda Davick

B S1428-06 Linda Davick

B S1428-07 Linda Davick

B S1428-08 Linda Davick

B S1428-09 Linda Davick

B S1428-10 Linda Davick

Price level A Icon $90 Spot $150 ¼ page $195 Price level B Icon $125 Spot $190 ¼ page $250
Price level C Icon $160 Spot $240 ¼ page $315 Price level D Icon $230 Spot $320 ¼ page $420
www.images.com
33

B S1181-01 Dan Yaccarino

C S1181-02 Dan Yaccarino

C S1181-03 Dan Yaccarino

C S1181-04 Dan Yaccarino

C S1181-05 Dan Yaccarino

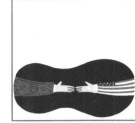
C S1181-06 Dan Yaccarino

C S1181-07 Dan Yaccarino

C S1181-08 Dan Yaccarino

C S1181-09 Dan Yaccarino

B S1181-10 Dan Yaccarino

C S1181-11 Dan Yaccarino

C S1181-12 Dan Yaccarino

C S1181-13 Dan Yaccarino

C S1181-14 Dan Yaccarino

C S1181-15 Dan Yaccarino

C S1181-16 Dan Yaccarino

C S1181-17 Dan Yaccarino

C S1181-18 Dan Yaccarino

C S1181-19 Dan Yaccarino

B S1181-20 Dan Yaccarino

C S1181-21 Dan Yaccarino

C S1181-22 Dan Yaccarino

C S1181-23 Dan Yaccarino

C S1181-24 Dan Yaccarino

C S1181-25 Dan Yaccarino

B S1181-26 Dan Yaccarino

C S1181-27 Dan Yaccarino

C S1181-30 Dan Yaccarino

C S1181-28 Dan Yaccarino

C S1181-31 Dan Yaccarino

C S1181-32 Dan Yaccarino

C S1181-33 Dan Yaccarino

C S1181-34 Dan Yaccarino

C S1181-35 Dan Yaccarino

C S1181-36 Dan Yaccarino

C S1181-37 Dan Yaccarino

C S1181-39 Dan Yaccarino

C S1181-40 Dan Yaccarino

C S1181-41 Dan Yaccarino

C S1181-42 Dan Yaccarino

C S1181-43 Dan Yaccarino

C S1181-44 Dan Yaccarino

C S1181-45 Dan Yaccarino

C S1181-46 Dan Yaccarino

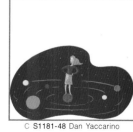
C S1181-47 Dan Yaccarino

C S1181-48 Dan Yaccarino

Price level A Icon $90 Spot $150 ¼ page $195 Price level B Icon $125 Spot $190 ¼ page $250
Price level C Icon $160 Spot $240 ¼ page $315 Price level D Icon $230 Spot $320 ¼ page $420

B S1181-49 Dan Yaccarino

C S1181-50 Dan Yaccarino

C S1181-51 Dan Yaccarino

C S1181-52 Dan Yaccarino

B S1181-53 Dan Yaccarino

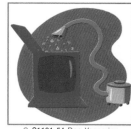
C S1181-54 Dan Yaccarino

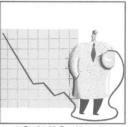
C S1181-55 Dan Yaccarino

C S1181-56 Dan Yaccarino

C S1181-57 Dan Yaccarino

B S1181-58 Dan Yaccarino

C S1181-59 Dan Yaccarino

C S1181-60 Dan Yaccarino

C S1181-61 Dan Yaccarino

C S1181-62 Dan Yaccarino

C S1181-63 Dan Yaccarino

B S1181-64 Dan Yaccarino

C S1181-65 Dan Yaccarino

B S1181-66 Dan Yaccarino

C S1181-67 Dan Yaccarino

C S1181-68 Dan Yaccarino

B S1181-69 Dan Yaccarino

C S1181-70 Dan Yaccarino

C S1181-71 Dan Yaccarino

C S1181-72 Dan Yaccarino

C S1181-73 Dan Yaccarino

C S1181-74 Dan Yaccarino

C S1181-75 Dan Yaccarino

C S1181-76 Dan Yaccarino

B S1181-77 Dan Yaccarino

B S1181-78 Dan Yaccarino

C S1181-79 Dan Yaccarino

C S1181-80 Dan Yaccarino

C S1181-81 Dan Yaccarino

C S1181-82 Dan Yaccarino

C S1181-83 Dan Yaccarino

C S1181-84 Dan Yaccarino

C S1181-85 Dan Yaccarino

C S1181-86 Dan Yaccarino

C S1181-87 Dan Yaccarino

C S1181-88 Dan Yaccarino

C S1181-89 Dan Yaccarino

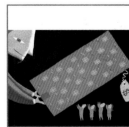
C S1181-90 Dan Yaccarino

C S1181-91 Dan Yaccarino

C S1181-92 Dan Yaccarino

B S1181-93 Dan Yaccarino

C S1181-94 Dan Yaccarino

C S1181-95 Dan Yaccarino

C S1181-96 Dan Yaccarino

Price level A Icon $90 Spot $150 ¼ page $195   Price level B Icon $125 Spot $190 ¼ page $250
Price level C Icon $160 Spot $240 ¼ page $315   Price level D Icon $230 Spot $320 ¼ page $420

C S1181-97 Dan Yaccarino

C S1181-98 Dan Yaccarino

C S1181-99 Dan Yaccarino

C S1181-100 Dan Yaccarino

C S1181-101 Dan Yaccarino

C S1181-102 Dan Yaccarino

C S1181-103 Dan Yaccarino

C S1181-104 Dan Yaccarino

C S1181-105 Dan Yaccarino

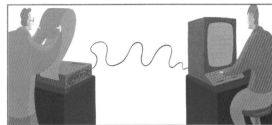
C S1181-106 Dan Yaccarino

C S1181-108 Dan Yaccarino

C S1181-109 Dan Yaccarino

C S1181-110 Dan Yaccarino

C S1181-111 Dan Yaccarino

C S1181-112 Dan Yaccarino

C S1181-113 Dan Yaccarino

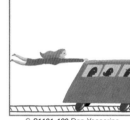
C S1181-114 Dan Yaccarino

C S1181-115 Dan Yaccarino

C S1181-116 Dan Yaccarino

C S1181-117 Dan Yaccarino

B S1181-118 Dan Yaccarino

C S1181-119 Dan Yaccarino

C S1181-120 Dan Yaccarino

C S1181-121 Dan Yaccarino

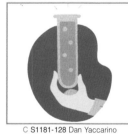
C S1181-122 Dan Yaccarino

C S1181-123 Dan Yaccarino

C S1181-124 Dan Yaccarino

C S1181-125 Dan Yaccarino

C S1181-126 Dan Yaccarino

C S1181-127 Dan Yaccarino

C S1181-128 Dan Yaccarino

C S1181-129 Dan Yaccarino

C S1181-130 Dan Yaccarino

C S1181-131 Dan Yaccarino

C S1181-132 Dan Yaccarino

C S1181-133 Dan Yaccarino

C S1181-134 Dan Yaccarino

C S1181-135 Dan Yaccarino

C S1181-136 Dan Yaccarino

C S1181-137 Dan Yaccarino

C S1181-29 Dan Yaccarino

C S1181-140 Dan Yaccarino

B S1181-138 Dan Yaccarino

B S1181-139 Dan Yaccarino

C S1181-38 Dan Yaccarino

C S1181-107 Dan Yaccarino

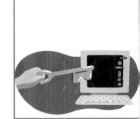

36 www.images.com

Price level A Icon $90 Spot $150 ¼ page $195 Price level B Icon $125 Spot $190 ¼ page $250
Price level C Icon $160 Spot $240 ¼ page $315 Price level D Icon $230 Spot $320 ¼ page $420

C S0926-12 Vicky Rabinowicz

C S0926-02 Vicky Rabinowicz

C S0926-20 Vicky Rabinowicz

C S0926-04 Vicky Rabinowicz

C S0926-05 Vicky Rabinowicz   C S0926-06 Vicky Rabinowicz

C S0926-01 Vicky Rabinowicz

C S0926-13 Vicky Rabinowicz

C S0926-15 Vicky Rabinowicz

C S0926-11 Vicky Rabinowicz

C S0926-09 Vicky Rabinowicz

C S0926-14 Vicky Rabinowicz   C S0926-19 Vicky Rabinowicz

C S0926-17 Vicky Rabinowicz   C S0926-03 Vicky Rabinowicz   C S0926-16 Vicky Rabinowicz   B S0926-18 Vicky Rabinowicz

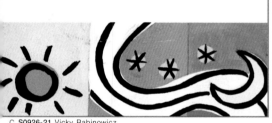

C S0926-21 Vicky Rabinowicz   C S0926-10 Vicky Rabinowicz   C S1443-06 Thomas Torrey   B S1443-02 Thomas Torrey   B S1443-03 Thomas Torrey

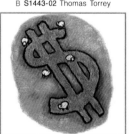

C S1443-07 Thomas Torrey   C S1443-05 Thomas Torrey   B S1443-01 Thomas Torrey   C S1443-04 Thomas Torrey   C S1443-08 Thomas Torrey   C S1443-09 Thomas Torrey

B S1443-10 Thomas Torrey   C S1409-01 Andrea Barrett   C S1409-07 Andrea Barrett   C S1409-04 Andrea Barrett   C S1409-05 Andrea Barrett

B S1409-06 Andrea Barrett   B S1409-02 Andrea Barrett   C S1409-03 Andrea Barrett   C S1409-08 Andrea Barrett   B S1409-09 Andrea Barrett   C S1409-10 Andrea Barrett

Price level A Icon $90 Spot $150 ¼ page $195 Price level B Icon $125 Spot $190 ¼ page $250
Price level C Icon $160 Spot $240 ¼ page $315 Price level D Icon $230 Spot $320 ¼ page $420

37   www.images.com

 C S0652-01 Christophe Vorlet

 C S0652-02 Christophe Vorlet

 C S0652-03 Christophe Vorlet

 C S0652-04 Christophe Vorlet

 C S0652-05 Christophe Vorlet

 C S0652-06 Christophe Vorlet

 C S0652-07 Christophe Vorlet

 C S0652-08 Christophe Vorlet

 C S0652-09 Christophe Vorlet

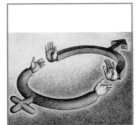 C S0652-10 Christophe Vorlet

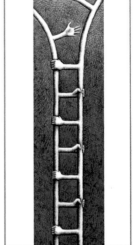 C S0652-11 Christophe Vorlet

 C S0652-13 Christophe Vorlet

 C S0652-12 Christophe Vorlet

 C S0652-14 Christophe Vorlet

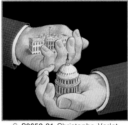 C S0652-15 Christophe Vorlet

 C S0652-16 Christophe Vorlet

 C S0652-17 Christophe Vorlet

 C S0652-18 Christophe Vorlet

 C S0652-19 Christophe Vorlet

 C S0652-20 Christophe Vorlet

 C S0652-21 Christophe Vorlet

 C S0652-22 Christophe Vorlet

 C S0652-23 Christophe Vorlet

 C S0652-24 Christophe Vorlet

 C S0652-25 Christophe Vorlet

 C S0652-26 Christophe Vorlet

 C S0652-27 Christophe Vorlet

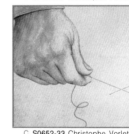 C S0652-28 Christophe Vorlet

 C S0652-29 Christophe Vorlet

 C S0652-30 Christophe Vorlet

 C S0652-31 Christophe Vorlet

 C S0652-32 Christophe Vorlet

 C S0652-33 Christophe Vorlet

 C S0652-34 Christophe Vorlet

 C S0652-36 Christophe Vorlet

 C S0652-37 Christophe Vorlet

C S0652-38 Christophe Vorlet

 C S0652-39 Christophe Vorlet

C S0652-45 Christophe Vorlet

C S0652-35 Christophe Vorlet

C S0652-40 Christophe Vorlet

C S0652-41 Christophe Vorlet

C S0652-42 Christophe Vorlet

C S0652-43 Christophe Vorlet

Price level A Icon $90 Spot $150 ¼ page $195 Price level B Icon $125 Spot $190 ¼ page $250
Price level C Icon $160 Spot $240 ¼ page $315 Price level D Icon $230 Spot $320 ¼ page $420

C S0652-44 Christophe Vorlet

C S0652-46 Christophe Vorlet

C S0652-71 Christophe Vorlet

C S0652-55 Christophe Vorlet

C S0652-56 Christophe Vorlet

C S0652-47 Christophe Vorlet

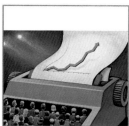
C S0652-69 Christophe Vorlet

C S0652-57 Christophe Vorlet

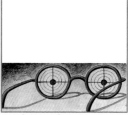
C S0652-58 Christophe Vorlet

C S0652-61 Christophe Vorlet

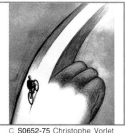
C S0652-62 Christophe Vorlet

C S0652-48 Christophe Vorlet

C S0652-52 Christophe Vorlet

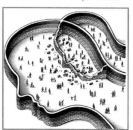
C S0652-53 Christophe Vorlet

C S0652-63 Christophe Vorlet

C S0652-64 Christophe Vorlet

C S0652-65 Christophe Vorlet

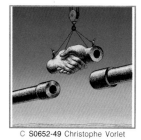
C S0652-49 Christophe Vorlet

C S0652-54 Christophe Vorlet

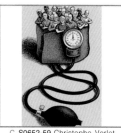
C S0652-59 Christophe Vorlet

C S0652-64 Christophe Vorlet

C S0652-65 Christophe Vorlet

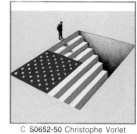
C S0652-50 Christophe Vorlet

C S0652-51 Christophe Vorlet

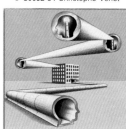
C S0652-60 Christophe Vorlet

C S0652-66 Christophe Vorlet

C S0652-67 Christophe Vorlet

C S0652-68 Christophe Vorlet

C S0652-72 Christophe Vorlet

C S0652-73 Christophe Vorlet

C S0652-74 Christophe Vorlet

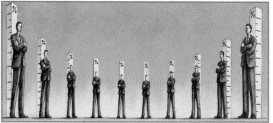
C S0652-70 Christophe Vorlet

C S0652-51 Christophe Vorlet

C S0652-72 Christophe Vorlet

C S0652-75 Christophe Vorlet

C S0652-76 Christophe Vorlet

C S0652-77 Christophe Vorlet

C S0652-78 Christophe Vorlet

C S0652-79 Christophe Vorlet

C S0652-80 Christophe Vorlet

C S0652-81 Christophe Vorlet

C S0652-82 Christophe Vorlet

C S0652-83 Christophe Vorlet

C S0652-84 Christophe Vorlet

C S0652-85 Christophe Vorlet

C S0652-86 Christophe Vorlet

C S0652-87 Christophe Vorlet

C S0652-88 Christophe Vorlet

Price level A Icon $90 Spot $150 ¼ page $195 Price level B Icon $125 Spot $190 ¼ page $250
Price level C Icon $160 Spot $240 ¼ page $315 Price level D Icon $230 Spot $320 ¼ page $420
www.images.com 39

 C S0652-89 Christophe Vorlet
 C S0652-90 Christophe Vorlet
 C S0652-91 Christophe Vorlet
 C S0652-92 Christophe Vorlet
 C S0652-93 Christophe Vorlet
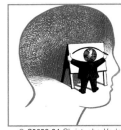 C S0652-94 Christophe Vorlet

 C S0652-95 Christophe Vorlet
 C S0652-96 Christophe Vorlet
 C S0652-97 Christophe Vorlet
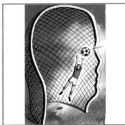 C S0652-98 Christophe Vorlet
 B S0652-99 Christophe Vorlet
 B S0652-100 Christophe Vorlet

 B S0652-101 Christophe Vorlet
 B S0652-102 Christophe Vorlet
 B S0652-103 Christophe Vorlet
 B S0652-104 Christophe Vorlet
 B S0652-105 Christophe Vorlet
 B S0652-106 Christophe Vorlet

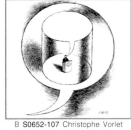 B S0652-107 Christophe Vorlet
 C S0652-108 Christophe Vorlet
 C S0652-110 Christophe Vorlet
 B S0652-111 Christophe Vorlet
 C S0652-112 Christophe Vorlet

 B S0652-113 Christophe Vorlet
 B S0652-114 Christophe Vorlet
 B S0652-115 Christophe Vorlet
 B S0652-116 Christophe Vorlet
 B S0652-117 Christophe Vorlet
 B S0652-118 Christophe Vorlet

 B S0652-119 Christophe Vorlet
 B S0652-120 Christophe Vorlet
 B S0652-121 Christophe Vorlet
 B S0652-122 Christophe Vorlet
 B S0652-123 Christophe Vorlet
 B S0652-124 Christophe Vorlet

 B S0652-125 Christophe Vorlet
 B S0652-126 Christophe Vorlet
 B S0652-127 Christophe Vorlet
 B S0652-128 Christophe Vorlet
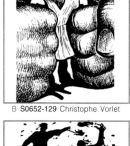 B S0652-129 Christophe Vorlet
 B S0652-130 Christophe Vorlet

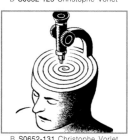 B S0652-131 Christophe Vorlet
 C S0652-132 Christophe Vorlet
 B S0652-133 Christophe Vorlet
 B S0652-134 Christophe Vorlet
 B S0652-135 Christophe Vorlet
B S0652-136 Christophe Vorlet

Price level A Icon $90 Spot $150 ¼ page $195 Price level B Icon $125 Spot $190 ¼ page $250
Price level C Icon $160 Spot $240 ¼ page $315 Price level D Icon $230 Spot $320 ¼ page $420

C S0652-137 Christophe Vorlet

C S0652-138 Christophe Vorlet

C S0652-139 Christophe Vorlet

C S0652-140 Christophe Vorlet

C S0652-141 Christophe Vorlet

C S0652-142 Christophe Vorlet

C S0652-143 Christophe Vorlet

C S0652-144 Christophe Vorlet

C S0652-145 Christophe Vorlet

C S0652-146 Christophe Vorlet

C S0652-147 Christophe Vorlet

C S0652-109 Christophe Vorlet

C S1455-09 Rob Levins

C S1455-08 Rob Levins

C S1455-04 Rob Levins

C S1455-05 Rob Levins

C S1455-06 Rob Levins

C S1455-14 Rob Levins

C S1455-10 Rob Levins

C S1455-12 Rob Levins

C S1455-13 Rob Levins

C S1455-11 Rob Levins

C S1455-15 Rob Levins

C S1455-07 Rob Levins

C S1455-17 Rob Levins

C S1455-18 Rob Levins

C S1455-16 Rob Levins

C S1455-01 Rob Levins

C S1455-02 Rob Levins

C S1455-03 Rob Levins

B S0086-02 Andrew Shiff

C S0086-03 Andrew Shiff

B S0086-04 Andrew Shiff

B S0086-05 Andrew Shiff

B S0086-06 Andrew Shiff

B S0086-07 Andrew Shiff

B S0086-08 Andrew Shiff

B S0086-09 Andrew Shiff

B S0086-10 Andrew Shiff

C S0086-12 Andrew Shiff

B S0086-11 Andrew Shiff

B S0086-13 Andrew Shiff

B S0086-01 Andrew Shiff

B S0086-14 Andrew Shiff

Price level A Icon $90 Spot $150 ¼ page $195   Price level B Icon $125 Spot $190 ¼ page $250
Price level C Icon $160 Spot $240 ¼ page $315   Price level D Icon $230 Spot $320 ¼ page $420
www.images.com

C S0158-15 David Wink

B S0158-30 David Wink

B S0158-04 David Wink

C S0158-17 David Wink

B S0158-06 David Wink

B S0158-10 David Wink

C S0158-22 David Wink

C S0158-11 David Wink

B S0158-12 David Wink

B S0158-13 David Wink

B S0158-14 David Wink

B S0158-08 David Wink

B S0158-16 David Wink

C S0158-02 David Wink

B S0158-18 David Wink

C S0158-19 David Wink

C S0158-20 David Wink

B S0158-29 David Wink

C S0158-24 David Wink

B S0158-05 David Wink

B S0158-03 David Wink

B S0158-27 David Wink

C S0158-21 David Wink

B S0158-31 David Wink

B S0158-07 David Wink

B S0158-32 David Wink

B S0158-33 David Wink

C S0158-09 David Wink

C S0158-28 David Wink

B S1444-07 Kristen Bannister

C S1444-02 Kristen Bannister

C S1444-04 Kristen Bannister

C S1444-03 Kristen Bannister

C S1444-11 Kristen Bannister

C S1444-08 Kristen Bannister

B S1444-06 Kristen Bannister

C S1444-01 Kristen Bannister

B S1444-09 Kristen Bannister

B S1444-05 Kristen Bannister

C S1444-10 Kristen Bannister

www.images.com

Price level A Icon $90 Spot $150 ¼ page $195 Price level B Icon $125 Spot $190 ¼ page $250
Price level C Icon $160 Spot $240 ¼ page $315 Price level D Icon $230 Spot $320 ¼ page $420

C S1438-02 John Gampert | C S1438-01 John Gampert | C S1438-03 John Gampert | C S1438-04 John Gampert | C S1438-05 John Gampert | C S1438-06 John Gampert

C S1438-07 John Gampert | C S1438-08 John Gampert | C S1438-09 John Gampert | C S1438-10 John Gampert | C S1438-11 John Gampert | C S1438-12 John Gampert

C S1438-13 John Gampert | C S1438-14 John Gampert | C S1235-01 Bob Ziering | C S1235-09 Bob Ziering | C S1235-10 Bob Ziering | C S1235-04 Bob Ziering

C S1235-05 Bob Ziering | C S1235-06 Bob Ziering | C S1235-07 Bob Ziering | C S1235-08 Bob Ziering | C S1235-03 Bob Ziering

C S1235-02 Bob Ziering | C S1235-11 Bob Ziering | C S1235-12 Bob Ziering | C S1235-13 Bob Ziering | C S1235-14 Bob Ziering

C S1235-15 Bob Ziering | C S1235-16 Bob Ziering | C S1235-17 Bob Ziering | C S1235-18 Bob Ziering | C S1235-19 Bob Ziering | C S1235-20 Bob Ziering

C S1235-21 Bob Ziering | B S1410-01 Pat Morrison | B S1410-02 Pat Morrison | B S1410-03 Pat Morrison | B S1410-04 Pat Morrison | B S1410-05 Pat Morrison

B S1410-06 Pat Morrison | B S1410-07 Pat Morrison | B S1410-08 Pat Morrison | B S1410-09 Pat Morrison | B S1410-10 Pat Morrison | B S1410-11 Pat Morrison

Price level A Icon $90   Spot $150 ¼ page $195   Price level B Icon $125 Spot $190 ¼ page $250
Price level C Icon $160 Spot $240 ¼ page $315   Price level D Icon $230 Spot $320 ¼ page $420

www.images.com   43

C S0879-01 Stéphan Daigle

C S0879-06 Stéphan Daigle

C S0879-02 Stéphan Daigle

C S0879-03 Stéphan Daigle

C S0879-13 Stéphan Daigle

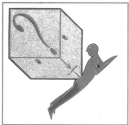

C S0879-04 Stéphan Daigle

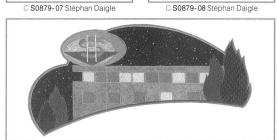

C S0879-18 Stéphan Daigle

C S0879-11 Stéphan Daigle

C S0879-12 Stéphan Daigle

C S0879-14 Stéphan Daigle

C S0879-15 Stéphan Daigle

C S0879-16 Stéphan Daigle

C S0879-07 Stéphan Daigle

C S0879-17 Stéphan Daigle

C S0879-10 Stéphan Daigle

C S0879-19 Stéphan Daigle

C S0879-20 Stéphan Daigle

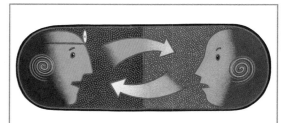

C S0879-38 Stéphan Daigle

C S0879-23 Stéphan Daigle

C S0879-24 Stéphan Daigle

C S0879-25 Stéphan Daigle

C S0879-26 Stéphan Daigle

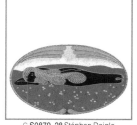

C S0879-27 Stéphan Daigle

C S0879-28 Stéphan Daigle

C S0879-29 Stéphan Daigle

C S0879-30 Stéphan Daigle

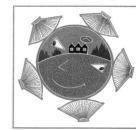

C S0879-31 Stéphan Daigle

C S0879-32 Stéphan Daigle

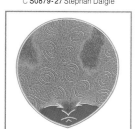

C S0879-33 Stéphan Daigle

C S0879-34 Stéphan Daigle

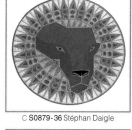

C S0879-35 Stéphan Daigle

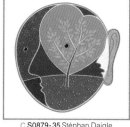

C S0879-36 Stéphan Daigle

C S0879-45 Stéphan Daigle

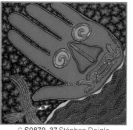

C S0879-37 Stéphan Daigle

C S0879-40 Stéphan Daigle

C S0879-21 Stéphan Daigle

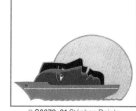

C S0879-22 Stéphan Daigle

www.images.com

Price level A Icon $90 Spot $150 ¼ page $195 Price level B Icon $125 Spot $190 ¼ page $250
Price level C Icon $160 Spot $240 ¼ page $315 Price level D Icon $230 Spot $320 ¼ page $420

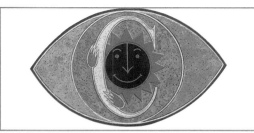

C S0879-05 Stéphan Daigle

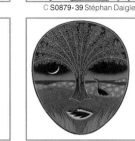

C S0879-39 Stéphan Daigle

C S0879-44 Stéphan Daigle

C S1156-06 Giovannina Colalillo

C S0879-46 Stéphan Daigle

C S0879-43 Stéphan Daigle

C S0879-42 Stéphan Daigle

C S0879-41 Stéphan Daigle

C S1156-07 Giovannina Colalillo

C S1156-08 Giovannina Colalillo

C S1156-10 Giovannina Colalillo

C S1156-11 Giovannina Colalillo

C S1156-12 Giovannina Colalillo

C S1156-13 Giovannina Colalillo

C S1156-02 Giovannina Colalillo

C S1156-09 Giovannina Colalillo

C S1156-22 Giovannina Colalillo

C S1156-01 Giovannina Colalillo

C S1156-18 Giovannina Colalillo

C S1156-16 Giovannina Colalillo

C S1156-26 Giovannina Colalillo

C S1156-21 Giovannina Colalillo

C S1156-29 Giovannina Colalillo

C S1156-04 Giovannina Colalillo

C S1156-25 Giovannina Colalillo

C S1156-14 Giovannina Colalillo

C S1156-17 Giovannina Colalillo

C S1156-24 Giovannina Colalillo

C S1156-19 Giovannina Colalillo

C S1156-27 Giovannina Colalillo

C S1156-15 Giovannina Colalillo

C S1156-23 Giovannina Colalillo

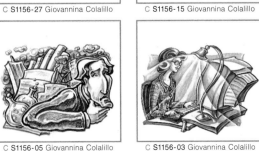

C S1156-05 Giovannina Colalillo

C S1156-03 Giovannina Colalillo

C S1156-28 Giovannina Colalillo

C S1156-20 Giovannina Colalillo

Price level A Icon $90 Spot $150 ¼ page $195 Price level B Icon $125 Spot $190 ¼ page $250
Price level C Icon $160 Spot $240 ¼ page $315 Price level D Icon $230 Spot $320 ¼ page $420

www.images.com 45

B S0087 - 01 Rob Saunders

B S0087 - 02 Rob Saunders

B S0087 - 03 Rob Saunders

B S0087 - 04 Rob Saunders

B S0087 - 05 Rob Saunders

B S0087 - 48 Rob Saunders

B S0087 - 09 Rob Saunders

B S0087 - 02 Rob Saunders

B S0087 - 12 Rob Saunders

B S0087 - 11 Rob Saunders

B S0087 - 10 Rob Saunders

B S0087 - 13 Rob Saunders

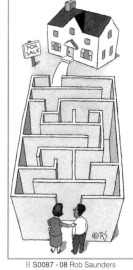

B S0087 - 14 Rob Saunders

B S0087 - 08 Rob Saunders

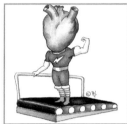

B S0087 - 16 Rob Saunders

B S0087 - 17 Rob Saunders

B S0087 - 18 Rob Saunders

B S0087 - 19 Rob Saunders

B S0087 - 20 Rob Saunders

B S0087 - 21 Rob Saunders

B S0087 - 22 Rob Saunders

B S0087 - 23 Rob Saunders

B S0087 - 24 Rob Saunders

B S0087 - 25 Rob Saunders

B S0087 - 26 Rob Saunders

B S0087 - 27 Rob Saunders

B S0087 - 28 Rob Saunders

B S0087 - 38 Rob Saunders

B S0087 - 30 Rob Saunders

B S0087 - 31 Rob Saunders

B S0087 - 39 Rob Saunders

B S0087 - 32 Rob Saunders

B S0087 - 34 Rob Saunders

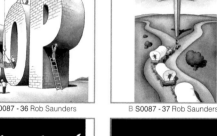

B S0087 - 35 Rob Saunders

B S0087 - 36 Rob Saunders

B S0087 - 37 Rob Saunders

B S0087 - 29 Rob Saunders

B S0087 - 40 Rob Saunders

B S0087 - 41 Rob Saunders

B S0087 - 42 Rob Saunders

B S0087 - 43 Rob Saunders

B S0087 - 46 Rob Saunders

B S0087 - 44 Rob Saunders

B S0087 - 47 Rob Saunders

B S0087 - 49 Rob Saunders

B S0087 - 50 Rob Saunders

Price level A Icon $90 Spot $150 ¼ page $195 Price level B Icon $125 Spot $190 ¼ page $250
Price level C Icon $160 Spot $240 ¼ page $315 Price level D Icon $230 Spot $320 ¼ page $420

B S0087 - 51 Rob Saunders

B S0087 - 52 Rob Saunders

B S0087 - 53 Rob Saunders

B S0087 - 54 Rob Saunders

B S0087 - 55 Rob Saunders

B S0087 - 56 Rob Saunders

B S0087 - 57 Rob Saunders

B S0087 - 58 Rob Saunders

B S0087 - 07 Rob Saunders

B S0087 - 59 Rob Saunders

B S0087 - 60 Rob Saunders

B S0087 - 61 Rob Saunders

B S0087 - 62 Rob Saunders

B S0087 - 33 Rob Saunders

B S0087 - 45 Rob Saunders

B S0087 - 15 Rob Saunders

B S0087 - 06 Rob Saunders

A S0206-30 Randy Verougstraete

A S0206-01 Randy Verougstraete

A S0206-02 Randy Verougstraete

A S0206-03 Randy Verougstraete

A S0206-04 Randy Verougstraete

A S0206-05 Randy Verougstraete

A S0206-06 Randy Verougstraete

A S0206-07 Randy Verougstraete

A S0206-08 Randy Verougstraete

A S0206-09 Randy Verougstraete

A S0206-10 Randy Verougstraete

A S0206-11 Randy Verougstraete

A S0206-12 Randy Verougstraete

A S0206-13 Randy Verougstraete

A S0206-14 Randy Verougstraete

A S0206-15 Randy Verougstraete

A S0206-16 Randy Verougstraete

A S0206-17 Randy Verougstraete

A S0206-18 Randy Verougstraete

A S0206-19 Randy Verougstraete

A S0206-20 Randy Verougstraete

A S0206-21 Randy Verougstraete

A S0206-22 Randy Verougstraete

A S0206-23 Randy Verougstraete

A S0206-24 Randy Verougstraete

A S0206-25 Randy Verougstraete

A S0206-26 Randy Verougstraete

A S0206-27 Randy Verougstraete

A S0206-28 Randy Verougstraete

A S0206-29 Randy Verougstraete

Price level A Icon $90 Spot $150 ¼ page $195 Price level B Icon $125 Spot $190 ¼ page $250
Price level C Icon $160 Spot $240 ¼ page $315 Price level D Icon $230 Spot $320 ¼ page $420

www.images.com

47

B S0411-01 John Zielinski

B S0411-02 John Zielinski

B S0411-03 John Zielinski

B S0411-04 John Zielinski

B S0411-05 John Zielinski

B S0411-06 John Zielinski

B S0411-07 John Zielinski

B S0411-08 John Zielinski

B S0411-09 John Zielinski

B S0411-10 John Zielinski

B S0411-11 John Zielinski

B S0411-12 John Zielinski

B S0411-13 John Zielinski

B S0411-14 John Zielinski

B S0411-15 John Zielinski

B S0411-16 John Zielinski

B S0411-17 John Zielinski

B S0411-18 John Zielinski

B S0411-19 John Zielinski

B S0411-20 John Zielinski

B S0411-21 John Zielinski

B S0411-23 John Zielinski

B S0411-24 John Zielinski

B S0411-25 John Zielinski

B S0411-26 John Zielinski

B S0411-27 John Zielinski

B S0411-28 John Zielinski

B S0411-29 John Zielinski

B S0411-30 John Zielinski

B S0411-31 John Zielinski

B S0411-32 John Zielinski

B S0411-33 John Zielinski

B S0716-01 Tony Anthony

B S0716-02 Tony Anthony

B S0716-03 Tony Anthony

B S0716-04 Tony Anthony

B S0716-05 Tony Anthony

B S0716-06 Tony Anthony

B S0716-07 Tony Anthony

B S0716-08 Tony Anthony

B S0716-09 Tony Anthony

B S0716-10 Tony Anthony

B S0716-11 Tony Anthony

B S0716-12 Tony Anthony

B S0716-13 Tony Anthony

B S0716-14 Tony Anthony

B S0716-15 Tony Anthony

B S0716-16 Tony Anthony

Price level A Icon $90 Spot $150 ¼ page $195 Price level B Icon $125 Spot $190 ¼ page $250
Price level C Icon $160 Spot $240 ¼ page $315 Price level D Icon $230 Spot $320 ¼ page $420

B S0716-17 Tony Anthony

B S0716-18 Tony Anthony

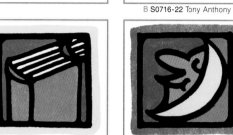

B S0716-19 Tony Anthony

B S0716-20 Tony Anthony

B S0716-21 Tony Anthony

B S0716-22 Tony Anthony

B S0716-23 Tony Anthony

B S0716-24 Tony Anthony

B S0716-25 Tony Anthony

B S0716-26 Tony Anthony

B S0716-27 Tony Anthony

B S0716-28 Tony Anthony

B S0716-29 Tony Anthony

B S0716-30 Tony Anthony

B S0716-31 Tony Anthony

B S0716-32 Tony Anthony

B S0716-33 Tony Anthony

B S0716-34 Tony Anthony

B S0716-35 Tony Anthony

B S0716-36 Tony Anthony

B S0716-37 Tony Anthony

B S0716-38 Tony Anthony

B S0716-39 Tony Anthony

B S0716-40 Tony Anthony

B S0716-42 Tony Anthony

B S0716-51 Tony Anthony

B S0716-52 Tony Anthony

B S0716-41 Tony Anthony

B S0716-43 Tony Anthony

B S0716-44 Tony Anthony

B S0716-46 Tony Anthony

B S0716-57 Tony Anthony

B S0716-58 Tony Anthony

B S0716-47 Tony Anthony

B S0716-48 Tony Anthony

B S0716-49 Tony Anthony

B S0716-50 Tony Anthony

B S0716-53 Tony Anthony

B S0716-54 Tony Anthony

B S0716-55 Tony Anthony

B S0716-56 Tony Anthony

B S0716-45 Tony Anthony

Price level A Icon $90   Spot $150 ¼ page $195   Price level B Icon $125 Spot $190 ¼ page $250
Price level C Icon $160   Spot $240 ¼ page $315   Price level D Icon $230 Spot $320 ¼ page $420
www.images.com **49**

B S0188-01 Rob Colvin

B S0188-02 Rob Colvin

B S0188-03 Rob Colvin

B S0188-04 Rob Colvin

B S0188-05 Rob Colvin

B S0188-06 Rob Colvin

B S0188-07 Rob Colvin

B S0188-08 Rob Colvin

B S0188-09 Rob Colvin

B S0188-10 Rob Colvin

B S0188-11 Rob Colvin

B S0188-12 Rob Colvin

B S0188-13 Rob Colvin

B S0188-14 Rob Colvin

B S0188-15 Rob Colvin

B S0188-16 Rob Colvin

B S0188-17 Rob Colvin

B S0188-18 Rob Colvin

B S0188-19 Rob Colvin

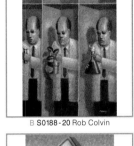

B S0188-20 Rob Colvin

B S0188-21 Rob Colvin

B S0188-22 Rob Colvin

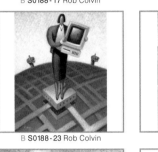

B S0188-23 Rob Colvin

B S0188-24 Rob Colvin

B S0188-25 Rob Colvin

B S0188-26 Rob Colvin

B S0188-27 Rob Colvin

B S0188-28 Rob Colvin

B S0188-29 Rob Colvin

B S0188-30 Rob Colvin

B S0188-31 Rob Colvin

B S0188-32 Rob Colvin

B S0188-33 Rob Colvin

B S0188-34 Rob Colvin

B S0188-35 Rob Colvin

B S0188-36 Rob Colvin

B S0188-37 Rob Colvin

B S0188-38 Rob Colvin

B S0188-39 Rob Colvin

B S0188-40 Rob Colvin

B S0188-41 Rob Colvin

B S0188-42 Rob Colvin

B S0188-43 Rob Colvin

B S0188-44 Rob Colvin

B S0188-45 Rob Colvin

B S0188-46 Rob Colvin

B S0188-47 Rob Colvin

B S0188-48 Rob Colvin

Price level A Icon $90 Spot $150 ¼ page $195 Price level B Icon $125 Spot $190 ¼ page $250
Price level C Icon $160 Spot $240 ¼ page $315 Price level D Icon $230 Spot $320 ¼ page $420

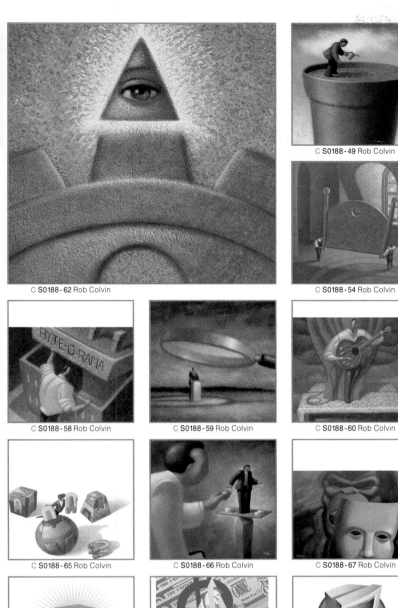

C S0188-62 Rob Colvin

C S0188-49 Rob Colvin

C S0188-51 Rob Colvin

C S0188-52 Rob Colvin

C S0188-53 Rob Colvin

C S0188-54 Rob Colvin

C S0188-55 Rob Colvin

C S0188-56 Rob Colvin

C S0188-57 Rob Colvin

C S0188-58 Rob Colvin

C S0188-59 Rob Colvin

C S0188-60 Rob Colvin

C S0188-61 Rob Colvin

C S0188-63 Rob Colvin

C S0188-64 Rob Colvin

C S0188-65 Rob Colvin

C S0188-66 Rob Colvin

C S0188-67 Rob Colvin

C S0188-68 Rob Colvin

C S0188-69 Rob Colvin

C S0188-70 Rob Colvin

C S0745-01 Leo Kundas

C S0745-02 Leo Kundas

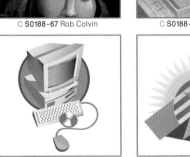

C S0745-03 Leo Kundas

C S0745-04 Leo Kundas

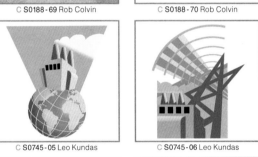

C S0745-05 Leo Kundas

C S0745-06 Leo Kundas

C S0745-07 Leo Kundas

C S0745-08 Leo Kundas

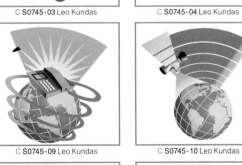

C S0745-09 Leo Kundas

C S0745-10 Leo Kundas

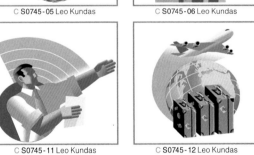

C S0745-11 Leo Kundas

C S0745-12 Leo Kundas

C S0745-21 Leo Kundas

C S0745-18 Leo Kundas

C S0745-20 Leo Kundas

C S0745-13 Leo Kundas

C S0745-19 Leo Kundas

C S0745-15 Leo Kundas

C S0745-17 Leo Kundas

C S0745-16 Leo Kundas

C S0745-14 Leo Kundas

Price level A Icon $90 Spot $150 ¼ page $195 Price level B Icon $125 Spot $190 ¼ page $250
Price level C Icon $160 Spot $240 ¼ page $315 Price level D Icon $230 Spot $320 ¼ page $420

www.images.com   51

C S1034-02 Jane Sterrett

C S1034-03 Jane Sterrett

C S1034-35 Jane Sterrett

C S1034-11 Jane Sterrett

C S1034-09 Jane Sterrett

C S1034-08 Jane Sterrett

C S1034-14 Jane Sterrett

C S1034-21 Jane Sterrett

C S1034-18 Jane Sterrett

C S1034-20 Jane Sterrett

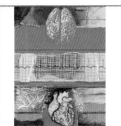
C S1034-15 Jane Sterrett

C S1034-05 Jane Sterrett

C S1034-30 Jane Sterrett

C S1034-13 Jane Sterrett

C S1034-06 Jane Sterrett

C S1034-25 Jane Sterrett

C S1034-12 Jane Sterrett

C S1034-43 Jane Sterrett

C S1034-32 Jane Sterrett

C S1034-31 Jane Sterrett

C S1034-47 Jane Sterrett

C S1034-23 Jane Sterrett

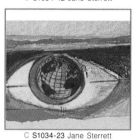
C S1034-28 Jane Sterrett

C S1034-36 Jane Sterrett

C S1034-24 Jane Sterrett

C S1034-42 Jane Sterrett

C S1034-39 Jane Sterrett

C S1034-40 Jane Sterrett

C S1034-22 Jane Sterrett

C S1034-38 Jane Sterrett

C S1034-41 Jane Sterrett

C S1034-04 Jane Sterrett

C S1034-49 Jane Sterrett

C S1034-37 Jane Sterrett

C S1034-33 Jane Sterrett

C S1034-26 Jane Sterrett

C S1034-27 Jane Sterrett

C S1034-34 Jane Sterrett

C S1034-07 Jane Sterrett

C S1034-29 Jane Sterrett

C S1034-48 Jane Sterrett

C S1034-01 Jane Sterrett

C S1034-19 Jane Sterrett

C S1034-17 Jane Sterrett

C S1034-44 Jane Sterrett

C S1034-10 Jane Sterrett

Price level A Icon $90 Spot $150 ¼ page $195 Price level B Icon $125 Spot $190 ¼ page $250
Price level C Icon $160 Spot $240 ¼ page $315 Price level D Icon $230 Spot $320 ¼ page $420

C S1354-08 Phil & Jim Bliss

 C S1354-03 Phil & Jim Bliss

 C S1354-04 Phil & Jim Bliss

 C S1354-21 Phil & Jim Bliss

 C S1354-06 Phil & Jim Bliss

 C S1354-09 Phil & Jim Bliss

 C S1354-10 Phil & Jim Bliss

 C S1354-11 Phil & Jim Bliss

 C S1354-12 Phil & Jim Bliss

 C S1354-13 Phil & Jim Bliss

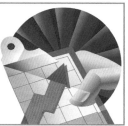 C S1354-14 Phil & Jim Bliss

 C S1354-01 Phil & Jim Bliss

 C S1354-15 Phil & Jim Bliss

 C S1354-17 Phil & Jim Bliss

 C S1354-20 Phil & Jim Bliss

 C S1354-05 Phil & Jim Bliss

 C S1354-02 Phil & Jim Bliss

 C S1354-16 Phil & Jim Bliss

 C S1354-19 Phil & Jim Bliss

 C S1354-07 Phil & Jim Bliss

 C S1354-18 Phil & Jim Bliss

 C S1002-01 Carol Benioff

 C S1002-02 Carol Benioff

 C S1002-03 Carol Benioff

 C S1002-04 Carol Benioff

 C S1002-05 Carol Benioff

 C S1002-06 Carol Benioff

 C S1002-07 Carol Benioff

 C S1002-08 Carol Benioff

 C S1002-09 Carol Benioff

 C S1002-10 Carol Benioff

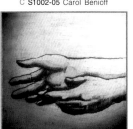 C S1002-14 Carol Benioff

 C S1002-12 Carol Benioff

 C S1002-11 Carol Benioff

 C S1002-13 Carol Benioff

 B S1411-07 Ivor Parry

 B S1411-08 Ivor Parry

 B S1411-09 Ivor Parry

 B S1411-11 Ivor Parry

 B S1411-03 Ivor Parry

 B S1411-02 Ivor Parry

 B S1411-01 Ivor Parry

 B S1411-06 Ivor Parry

 B S1411-04 Ivor Parry

 B S1411-05 Ivor Parry

Price level A Icon $90 Spot $150 ¼ page $195 Price level B Icon $125 Spot $190 ¼ page $250
Price level C Icon $160 Spot $240 ¼ page $315 Price level D Icon $230 Spot $320 ¼ page $420

B S1411-12 Ivor Parry

B S1411-13 Ivor Parry

B S1411-14 Ivor Parry

B S1411-15 Ivor Parry

B S1411-17 Ivor Parry

B S1411-16 Ivor Parry

B S1411-10 Ivor Parry

B S0863-01 Campbell Laird

B S0863-02 Campbell Laird

B S0863-03 Campbell Laird

B S0863-04 Campbell Laird

B S0863-05 Campbell Laird

B S0863-06 Campbell Laird

B S0863-07 Campbell Laird

B S0863-08 Campbell Laird

B S0863-09 Campbell Laird

B S0863-10 Campbell Laird

B S0863-11 Campbell Laird

B S0863-12 Campbell Laird

B S0863-13 Campbell Laird

B S0863-14 Campbell Laird

B S0863-15 Campbell Laird

B S0863-16 Campbell Laird

B S0863-17 Campbell Laird

B S0863-18 Campbell Laird

B S0863-19 Campbell Laird

B S0863-20 Campbell Laird

B S0863-21 Campbell Laird

B S0863-22 Campbell Laird

B S0863-23 Campbell Laird

B S0863-24 Campbell Laird

B S0863-25 Campbell Laird

B S0863-26 Campbell Laird

B S0863-27 Campbell Laird

B S0863-28 Campbell Laird

B S0863-29 Campbell Laird

B S0863-30 Campbell Laird

B S0863-31 Campbell Laird

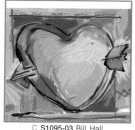
C S1095-03 Bill Hall

C S1095-01 Bill Hall

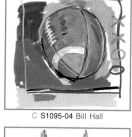
C S1095-04 Bill Hall

C S1095-02 Bill Hall

C S1095-06 Bill Hall

C S1095-07 Bill Hall

C S1095-08 Bill Hall

C S1095-09 Bill Hall

C S1095-10 Bill Hall

C S1095-05 Bill Hall

www.images.com

Price level A Icon $90 Spot $150 ¼ page $195   Price level B Icon $125 Spot $190 ¼ page $250
Price level C Icon $160 Spot $240 ¼ page $315   Price level D Icon $230 Spot $320 ¼ page $420

C S0707-01 Brian Rea

C S0707-02 Brian Rea

C S0707-03 Brian Rea

C S0707-04 Brian Rea

C S0707-06 Brian Rea

C S0707-07 Brian Rea

C S0707-08 Brian Rea

C S0707-39 Brian Rea

C S0707-11 Brian Rea

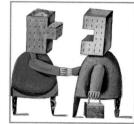
C S0707-12 Brian Rea

C S0707-13 Brian Rea

C S0707-14 Brian Rea

C S0707-15 Brian Rea

C S0707-21 Brian Rea

C S0707-17 Brian Rea

C S0707-18 Brian Rea

C S0707-19 Brian Rea

C S0707-20 Brian Rea

C S0707-16 Brian Rea

C S0707-22 Brian Rea

C S0707-23 Brian Rea

C S0707-24 Brian Rea

C S0707-26 Brian Rea

C S0707-25 Brian Rea

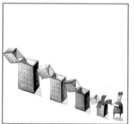
C S0707-31 Brian Rea

C S0707-32 Brian Rea

C S0707-29 Brian Rea

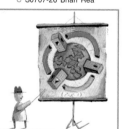
C S0707-28 Brian Rea

C S0707-05 Brian Rea

C S0707-30 Brian Rea

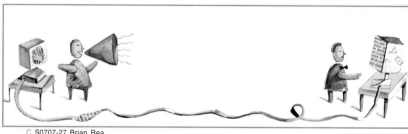
C S0707-27 Brian Rea

C S0707-40 Brian Rea

C S0707-35 Brian Rea

C S0707-36 Brian Rea

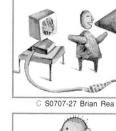
C S0707-37 Brian Rea

C S0707-10 Brian Rea

C S0707-38 Brian Rea

C S0707-34 Brian Rea

C S0707-41 Brian Rea

C S0707-42 Brian Rea

C S0707-43 Brian Rea

C S0707-33 Brian Rea

Price level A Icon $90 Spot $150 ¼ page $195 Price level B Icon $125 Spot $190 ¼ page $250
Price level C Icon $160 Spot $240 ¼ page $315 Price level D Icon $230 Spot $320 ¼ page $420

C S0506-33 Phillip Dvorak

C S0506-02 Phillip Dvorak

C S0506-26 Phillip Dvorak

C S0506-03 Phillip Dvorak

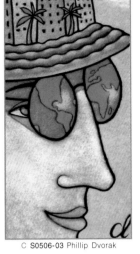
C S0506-37 Phillip Dvorak

C S0506-06 Phillip Dvorak

C S0506-10 Phillip Dvorak

C S0506-07 Phillip Dvorak

C S0506-41 Phillip Dvorak

C S0506-12 Phillip Dvorak

C S0506-30 Phillip Dvorak

C S0506-09 Phillip Dvorak

C S0506-15 Phillip Dvorak

C S0506-16 Phillip Dvorak

C S0506-05 Phillip Dvorak

C S0506-24 Phillip Dvorak

C S0506-25 Phillip Dvorak

C S0506-08 Phillip Dvorak

C S0506-21 Phillip Dvorak

C S0506-22 Phillip Dvorak

C S0506-23 Phillip Dvorak

C S0506-27 Phillip Dvorak

C S0506-28 Phillip Dvorak

C S0506-31 Phillip Dvorak

C S0506-38 Phillip Dvorak

C S0506-36 Phillip Dvorak

C S0506-46 Phillip Dvorak

C S0506-11 Phillip Dvorak

C S0506-32 Phillip Dvorak

C S0506-01 Phillip Dvorak

C S0506-34 Phillip Dvorak

C S0506-40 Phillip Dvorak

C S0506-18 Phillip Dvorak

C S0506-42 Phillip Dvorak

C S0506-14 Phillip Dvorak

C S0506-44 Phillip Dvorak

C S0506-45 Phillip Dvorak

B S0506-20 Phillip Dvorak

C S0506-49 Phillip Dvorak

www.images.com

Price level A Icon $90 Spot $150 ¼ page $195 Price level B Icon $125 Spot $190 ¼ page $250
Price level C Icon $160 Spot $240 ¼ page $315 Price level D Icon $230 Spot $320 ¼ page $420

C S0506-39 Phillip Dvorak

C S0506-19 Phillip Dvorak

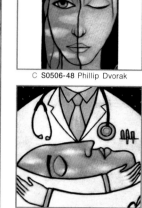

C S0506-48 Phillip Dvorak

C S0506-29 Phillip Dvorak

C S0506-17 Phillip Dvorak

C S0506-43 Phillip Dvorak

C S0506-50 Phillip Dvorak

C S0506-13 Phillip Dvorak

C S0506-04 Phillip Dvorak

C S1422-08 Melanie Isaacson

C S1422-10 Melanie Isaacson

C S1422-03 Melanie Isaacson

B S1422-01 Melanie Isaacson

C S1422-05 Melanie Isaacson

C S1422-14 Melanie Isaacson

C S1422-04 Melanie Isaacson

C S1422-13 Melanie Isaacson

C S1422-07 Melanie Isaacson

C S1422-02 Melanie Isaacson

C S1422-12 Melanie Isaacson

C S1422-09 Melanie Isaacson

C S1422-11 Melanie Isaacson

B S1422-06 Melanie Isaacson

C S0728-21 Paula Brinkman

C S0728-01 Paula Brinkman

C S0728-02 Paula Brinkman

C S0728-03 Paula Brinkman

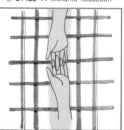
C S0728-04 Paula Brinkman

C S0728-05 Paula Brinkman

C S0728-06 Paula Brinkman

C S0728-07 Paula Brinkman

C S0728-08 Paula Brinkman

C S0728-09 Paula Brinkman

C S0728-10 Paula Brinkman

C S0728-11 Paula Brinkman

C S0728-12 Paula Brinkman

B S0728-13 Paula Brinkman

B S0728-14 Paula Brinkman

B S0728-15 Paula Brinkman

C S0728-16 Paula Brinkman

C S0728-17 Paula Brinkman

C S0728-18 Paula Brinkman

B S0728-19 Paula Brinkman

C S0728-20 Paula Brinkman

Price level A Icon $90 Spot $150 ¼ page $195 Price level B Icon $125 Spot $190 ¼ page $250
Price level C Icon $160 Spot $240 ¼ page $315 Price level D Icon $230 Spot $320 ¼ page $420

57

www.images.com

 C S0248-02 Robert Soulé
 C S0248-01 Robert Soulé
 C S0248-03 Robert Soulé
 C S0248-04 Robert Soulé
 C S0248-06 Robert Soulé C S0248-05 Robert Soulé

 C S0248-07 Robert Soulé
 C S0248-08 Robert Soulé
 C S0248-09 Robert Soulé
 C S0248-10 Robert Soulé
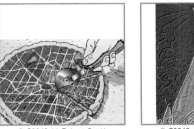 C S0248-11 Robert Soulé
 C S0248-12 Robert Soulé

 C S0248-13 Robert Soulé
 C S0248-15 Robert Soulé
 C S0248-16 Robert Soulé
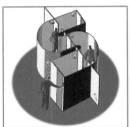 C S0248-17 Robert Soulé
 C S0248-18 Robert Soulé
 C S0248-19 Robert Soulé

 C S0248-08 Robert Soulé
 C S0248-21 Robert Soulé
 C S0248-22 Robert Soulé
 C S0248-23 Robert Soulé
 C S0248-24 Robert Soulé
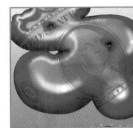 C S0248-25 Robert Soulé

 C S0248-26 Robert Soulé
 C S0248-27 Robert Soulé
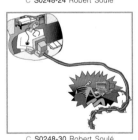 C S0248-30 Robert Soulé
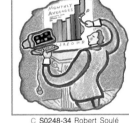 C S0248-34 Robert Soulé

 C S0248-32 Robert Soulé
 C S0248-33 Robert Soulé
 C S0248-31 Robert Soulé
 C S0248-36 Robert Soulé
 C S0248-37 Robert Soulé

 C S0248-38 Robert Soulé
 C S0248-41 Robert Soulé
 C S0248-28 Robert Soulé
 C S0248-29 Robert Soulé
 C S0248-42 Robert Soulé
 C S0248-43 Robert Soulé

 C S0248-44 Robert Soulé
 C S0248-45 Robert Soulé
 C S0248-46 Robert Soulé
 C S0248-40 Robert Soulé
 C S0248-35 Robert Soulé
 C S0248-39 Robert Soulé

Price level A Icon $90 Spot $150 ¼ page $195 Price level B Icon $125 Spot $190 ¼ page $250
Price level C Icon $160 Spot $240 ¼ page $315 Price level D Icon $230 Spot $320 ¼ page $420

C S1329-08 Chet Phillips

C S1329-09 Chet Phillips

C S1329-01 Chet Phillips

C S1329-04 Chet Phillips

C S1329-05 Chet Phillips

C S1329-18 Chet Phillips

C S1329-15 Chet Phillips

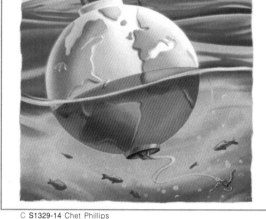

C S1329-10 Chet Phillips

C S1329-11 Chet Phillips

C S1329-12 Chet Phillips

C S1329-13 Chet Phillips

C S1329-14 Chet Phillips

C S1329-17 Chet Phillips

C S1329-16 Chet Phillips

C S1329-07 Chet Phillips

C S1329-19 Chet Phillips

C S1329-06 Chet Phillips

C S1329-21 Chet Phillips

C S1329-22 Chet Phillips

C S1329-23 Chet Phillips

C S1329-24 Chet Phillips

C S1329-20 Chet Phillips

C S1329-02 Chet Phillips

C S1329-03 Chet Phillips

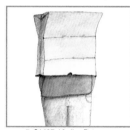
B S1407-13 Jim Paterson

B S1407-16 Jim Paterson

B S1407-01 Jim Paterson

B S1407-04 Jim Paterson

B S1407-05 Jim Paterson

B S1407-12 Jim Paterson

B S1407-07 Jim Paterson

B S1407-08 Jim Paterson

B S1407-09 Jim Paterson

B S1407-17 Jim Paterson

B S1407-11 Jim Paterson

B S1407-03 Jim Paterson

B S1407-06 Jim Paterson

B S1407-14 Jim Paterson

B S1407-15 Jim Paterson

B S1407-02 Jim Paterson

B S1407-10 Jim Paterson

B S1407-18 Jim Paterson

B S1407-19 Jim Paterson

B S1407-20 Jim Paterson

Price level A Icon $90 Spot $150 ¼ page $195 Price level B Icon $125 Spot $190 ¼ page $250
Price level C Icon $160 Spot $240 ¼ page $315 Price level D Icon $230 Spot $320 ¼ page $420
www.images.com

59

 C S0061-01 Dave Cutler
 C S0061-02 Dave Cutler
 C S0061-03 Dave Cutler
 C S0061-04 Dave Cutler
 C S0061-05 Dave Cutler
 C S0061-06 Dave Cutler

 C S0061-07 Dave Cutler
 C S0061-08 Dave Cutler
 C S0061-09 Dave Cutler
 C S0061-10 Dave Cutler
 C S0061-11 Dave Cutler

 C S0061-12 Dave Cutler
 C S0061-13 Dave Cutler
 C S0061-14 Dave Cutler
 C S0061-15 Dave Cutler
 C S0061-16 Dave Cutler

 C S0061-17 Dave Cutler
 C S0061-18 Dave Cutler
 C S0061-19 Dave Cutler
  C S0061-20 Dave Cutler
 C S0061-21 Dave Cutler

 C S0061-22 Dave Cutler
 C S0061-23 Dave Cutler
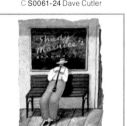 C S0061-24 Dave Cutler
 C S0061-25 Dave Cutler
 C S0061-26 Dave Cutler
 C S0061-27 Dave Cutler

 C S0061-28 Dave Cutler
 C S0061-29 Dave Cutler
 C S0061-30 Dave Cutler
 C S0061-31 Dave Cutler
 C S0061-32 Dave Cutler
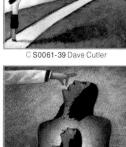 D S0061-33 Dave Cutler

 C S0061-34 Dave Cutler
 C S0061-35 Dave Cutler
C S0061-36 Dave Cutler
 C S0061-37 Dave Cutler
C S0061-38 Dave Cutler
C S0061-39 Dave Cutler

 C S0061-40 Dave Cutler
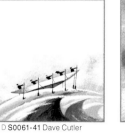 D S0061-41 Dave Cutler
 D S0061-42 Dave Cutler
C S0061-43 Dave Cutler
 C S0061-44 Dave Cutler
D S0061-45 Dave Cutler

Price level A Icon $90 Spot $150 ¼ page $195 Price level B Icon $125 Spot $190 ¼ page $250
Price level C Icon $160 Spot $240 ¼ page $315 Price level D Icon $230 Spot $320 ¼ page $420

C S0061-48 Dave Cutler

C S0061-46 Dave Cutler

C S0061-47 Dave Cutler

C S0061-49 Dave Cutler

C S0061-50 Dave Cutler

C S0061-51 Dave Cutler

C S0061-52 Dave Cutler

C S0061-53 Dave Cutler

C S0061-54 Dave Cutler

C S0061-55 Dave Cutler

C S0061-56 Dave Cutler

C S0061-57 Dave Cutler

C S0061-58 Dave Cutler

C S0061-59 Dave Cutler

C S0061-60 Dave Cutler

C S0061-61 Dave Cutler

C S0061-62 Dave Cutler

C S0061-63 Dave Cutler

C S0061-64 Dave Cutler

C S0061-73 Dave Cutler

C S0061-66 Dave Cutler

C S0061-67 Dave Cutler

C S0061-68 Dave Cutler

C S0061-69 Dave Cutler

C S0061-70 Dave Cutler

C S0061-71 Dave Cutler

C S0061-72 Dave Cutler

C S0061-65 Dave Cutler

C S0061-75 Dave Cutler

C S0061-76 Dave Cutler

D S0061-77 Dave Cutler

C S0061-78 Dave Cutler

C S0061-79 Dave Cutler

C S0061-80 Dave Cutler

C S0061-81 Dave Cutler

C S0061-82 Dave Cutler

C S0061-83 Dave Cutler

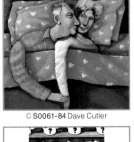
C S0061-84 Dave Cutler

C S0061-85 Dave Cutler

C S0061-86 Dave Cutler

C S0061-87 Dave Cutler

C S0061-88 Dave Cutler

C S0061-89 Dave Cutler

C S0061-90 Dave Cutler

C S0061-91 Dave Cutler

C S0061-92 Dave Cutler

C S0061-93 Dave Cutler

Price level A Icon $90 Spot $150 ¼ page $195 Price level B Icon $125 Spot $190 ¼ page $250
Price level C Icon $160 Spot $240 ¼ page $315 Price level D Icon $230 Spot $320 ¼ page $420

C S0061-94 Dave Cutler

C S0061-95 Dave Cutler

C S0061-96 Dave Cutler

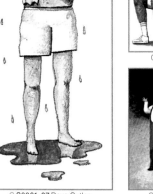

C S0061-98 Dave Cutler

C S0061-99 Dave Cutler

C S0061-100 Dave Cutler

C S0061-101 Dave Cutler

C S0061-102 Dave Cutler

C S0061-97 Dave Cutler

C S0061-103 Dave Cutler

C S0061-104 Dave Cutler

C S0061-105 Dave Cutler

C S0061-106 Dave Cutler

C S0061-107 Dave Cutler

C S0061-108 Dave Cutler

C S0061-109 Dave Cutler

C S0061-110 Dave Cutler

C S0061-111 Dave Cutler

C S0061-112 Dave Cutler

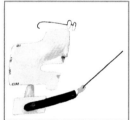
C S0061-113 Dave Cutler

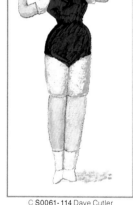

C S0061-115 Dave Cutler

C S0061-104 Dave Cutler

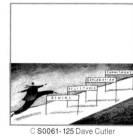

C S0061-116 Dave Cutler

C S0061-117 Dave Cutler

C S0061-118 Dave Cutler

C S0061-119 Dave Cutler

C S0061-114 Dave Cutler

C S0061-120 Dave Cutler

C S0061-121 Dave Cutler

C S0061-122 Dave Cutler

C S0061-123 Dave Cutler

C S0061-124 Dave Cutler

C S0061-125 Dave Cutler

C S0061-126 Dave Cutler

C S0061-127 Dave Cutler

C S0061-128 Dave Cutler

C S0061-129 Dave Cutler

C S0061-135 Dave Cutler

C S0061-130 Dave Cutler

C S0061-131 Dave Cutler

C S0061-132 Dave Cutler

C S0061-133 Dave Cutler

C S0061-134 Dave Cutler

Price level A Icon $90 Spot $150 ¼ page $195 Price level B Icon $125 Spot $190 ¼ page $250
Price level C Icon $160 Spot $240 ¼ page $315 Price level D Icon $230 Spot $320 ¼ page $420

C S0061-136 Dave Cutler

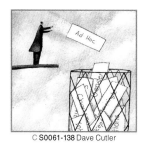

C S0061-137 Dave Cutler

C S0061-138 Dave Cutler

C S0061-139 Dave Cutler

C S0061-140 Dave Cutler

C S0061-141 Dave Cutler

C S0061-142 Dave Cutler

C S0061-143 Dave Cutler

C S0061-144 Dave Cutler

C S0061-145 Dave Cutler

C S0061-146 Dave Cutler

C S0061-147 Dave Cutler

C S0061-148 Dave Cutler

C S0061-149 Dave Cutler

C S0061-150 Dave Cutler

C S0061-151 Dave Cutler

C S0061-152 Dave Cutler

B S0061-153 Dave Cutler

C S0061-154 Dave Cutler

C S0061-155 Dave Cutler

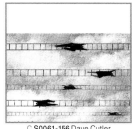

C S0061-156 Dave Cutler

C S0061-157 Dave Cutler

C S0061-158 Dave Cutler

C S0061-159 Dave Cutler

B S0061-160 Dave Cutler

B S0061-161 Dave Cutler

B S0061-162 Dave Cutler

C S0061-163 Dave Cutler

C S0061-164 Dave Cutler

C S0061-165 Dave Cutler

C S0061-166 Dave Cutler

C S0061-167 Dave Cutler

C S0061-168 Dave Cutler

C S0061-169 Dave Cutler

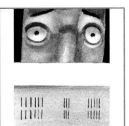

C S0061-170 Dave Cutler

C S0061-171 Dave Cutler

C S0061-172 Dave Cutler

C S0061-173 Dave Cutler

C S0061-174 Dave Cutler

C S0061-175 Dave Cutler

C S0061-176 Dave Cutler

C S0061-177 Dave Cutler

C S0061-178 Dave Cutler

C S0061-179 Dave Cutler

C S0061-180 Dave Cutler

Price level A Icon $90 Spot $150 ¼ page $195 Price level B Icon $125 Spot $190 ¼ page $250
Price level C Icon $160 Spot $240 ¼ page $315 Price level D Icon $230 Spot $320 ¼ page $420

www.images.com

63

C S0061-274 Dave Cutler

C S0061-271 Dave Cutler

C S0061-272 Dave Cutler

C S0061-273 Dave Cutler

C S0061-276 Dave Cutler

C S0061-277 Dave Cutler

C S0061-278 Dave Cutler

C S0061-279 Dave Cutler

C S0061-280 Dave Cutler

C S0061-281 Dave Cutler

C S0061-282 Dave Cutler

C S0061-283 Dave Cutler

C S0061-284 Dave Cutler

C S0061-286 Dave Cutler

C S0061-275 Dave Cutler

C S0061-288 Dave Cutler

C S0061-289 Dave Cutler

C S0061-290 Dave Cutler

C S0061-291 Dave Cutler

C S0061-292 Dave Cutler

C S0061-293 Dave Cutler

C S0061-294 Dave Cutler

C S0061-295 Dave Cutler

C S0061-285 Dave Cutler

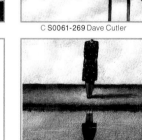
C S0061-269 Dave Cutler

C S0061-297 Dave Cutler

C S0061-298 Dave Cutler

C S0061-300 Dave Cutler

C S0061-301 Dave Cutler

C S0061-302 Dave Cutler

C S0061-303 Dave Cutler

C S0061-270 Dave Cutler

C S0061-305 Dave Cutler

C S0061-306 Dave Cutler

C S0061-307 Dave Cutler

C S0061-308 Dave Cutler

C S0061-309 Dave Cutler

C S0061-310 Dave Cutler

C S0061-311 Dave Cutler

C S0061-312 Dave Cutler

C S0061-313 Dave Cutler

C S0061-314 Dave Cutler

C S0061-315 Dave Cutler

Price level A Icon $90 Spot $150 ¼ page $195 Price level B Icon $125 Spot $190 ¼ page $250
Price level C Icon $160 Spot $240 ¼ page $315 Price level D Icon $230 Spot $320 ¼ page $420

 C S0061-222 Dave Cutler
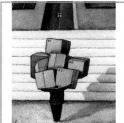 C S0061-223 Dave Cutler
 B S0061-224 Dave Cutler
 C S0061-225 Dave Cutler
 C S0061-226 Dave Cutler
 C S0061-227 Dave Cutler

 C S0061-228 Dave Cutler
 C S0061-229 Dave Cutler
 C S0061-230 Dave Cutler
 C S0061-247 Dave Cutler
 C S0061-232 Dave Cutler
 C S0061-233 Dave Cutler

 C S0061-234 Dave Cutler
 C S0061-235 Dave Cutler
 C S0061-236 Dave Cutler
 C S0061-237 Dave Cutler
 C S0061-238 Dave Cutler
 C S0061-239 Dave Cutler

 C S0061-240 Dave Cutler
 C S0061-241 Dave Cutler
 C S0061-242 Dave Cutler
 C S0061-243 Dave Cutler
 C S0061-244 Dave Cutler
 C S0061-245 Dave Cutler

 C S0061-231 Dave Cutler
 C S0061-248 Dave Cutler
 C S0061-249 Dave Cutler
 C S0061-251 Dave Cutler

 C S0061-250 Dave Cutler
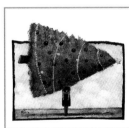 C S0061-252 Dave Cutler
 C S0061-255 Dave Cutler
 C S0061-254 Dave Cutler
 C S0061-256 Dave Cutler

 C S0061-263 Dave Cutler
 C S0061-258 Dave Cutler
 C S0061-259 Dave Cutler
 C S0061-260 Dave Cutler
 C S0061-261 Dave Cutler
 C S0061-262 Dave Cutler

 C S0061-257 Dave Cutler
 B S0061-265 Dave Cutler
 C S0061-266 Dave Cutler
 C S0061-267 Dave Cutler
 C S0061-268 Dave Cutler

Price level A Icon $90 Spot $150 ¼ page $195 Price level B Icon $125 Spot $190 ¼ page $250
Price level C Icon $160 Spot $240 ¼ page $315 Price level D Icon $230 Spot $320 ¼ page $420
www.images.com
65

C S0061-208 Dave Cutler

C S0061-187 Dave Cutler

C S0061-185 Dave Cutler   C S0061-186 Dave Cutler

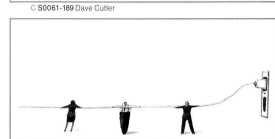
C S0061-188 Dave Cutler   C S0061-182 Dave Cutler   C S0061-189 Dave Cutler

C S0061-190 Dave Cutler   C S0061-191 Dave Cutler   C S0061-194 Dave Cutler   C S0061-181 Dave Cutler   C S0061-192 Dave Cutler

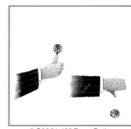

C S0061-193 Dave Cutler   C S0061-195 Dave Cutler   C S0061-196 Dave Cutler   C S0061-197 Dave Cutler   C S0061-198 Dave Cutler

C S0061-199 Dave Cutler   C S0061-200 Dave Cutler   C S0061-201 Dave Cutler   C S0061-202 Dave Cutler   C S0061-203 Dave Cutler   C S0061-204 Dave Cutler

C S0061-205 Dave Cutler   C S0061-206 Dave Cutler   C S0061-207 Dave Cutler   C S0061-183 Dave Cutler   C S0061-209 Dave Cutler

C S0061-210 Dave Cutler   C S0061-211 Dave Cutler   C S0061-212 Dave Cutler   C S0061-213 Dave Cutler   C S0061-214 Dave Cutler   B S0061-215 Dave Cutler

C S0061-216 Dave Cutler   C S0061-217 Dave Cutler   C S0061-218 Dave Cutler   C S0061-219 Dave Cutler   C S0061-220 Dave Cutler   C S0061-221 Dave Cutler

Price level A Icon $90 Spot $150 ¼ page $195 Price level B Icon $125 Spot $190 ¼ page $250
Price level C Icon $160 Spot $240 ¼ page $315 Price level D Icon $230 Spot $320 ¼ page $420

C S0061-320 Dave Cutler

C S0061-317 Dave Cutler

C S0061-318 Dave Cutler

C S0061-359 Dave Cutler

C S0061-357 Dave Cutler

C S0061-326 Dave Cutler

C S0061-327 Dave Cutler

C S0061-324 Dave Cutler

C S0061-325 Dave Cutler

C S0061-328 Dave Cutler

C S0061-329 Dave Cutler

C S0061-330 Dave Cutler

C S0061-331 Dave Cutler

C S0061-332 Dave Cutler

C S0061-333 Dave Cutler

C S0061-334 Dave Cutler

C S0061-335 Dave Cutler

C S0061-336 Dave Cutler

C S0061-337 Dave Cutler

C S0061-338 Dave Cutler

C S0061-339 Dave Cutler

C S0061-340 Dave Cutler

C S0061-341 Dave Cutler

C S0061-342 Dave Cutler

C S0061-343 Dave Cutler

C S0061-344 Dave Cutler

C S0061-345 Dave Cutler

C S0061-346 Dave Cutler

C S0061-347 Dave Cutler

C S0061-348 Dave Cutler

C S0061-349 Dave Cutler

C S0061-350 Dave Cutler

C S0061-351 Dave Cutler

C S0061-352 Dave Cutler

C S0061-353 Dave Cutler

C S0061-354 Dave Cutler

C S0061-355 Dave Cutler

C S0061-356 Dave Cutler

C S0061-316 Dave Cutler

C S0061-358 Dave Cutler

C S0061-360 Dave Cutler

C S0061-361 Dave Cutler

Price level A Icon $90 Spot $150 ¼ page $195 Price level B Icon $125 Spot $190 ¼ page $250
Price level C Icon $160 Spot $240 ¼ page $315 Price level D Icon $230 Spot $320 ¼ page $420

 C S0061- 362 Dave Cutler
 C S0061- 363 Dave Cutler
 C S0061- 364 Dave Cutler
 C S0061- 365 Dave Cutler
 C S0061- 366 Dave Cutler
 C S0061- 367 Dave Cutler

 C S0061- 368 Dave Cutler
 C S0061- 369 Dave Cutler
 C S0061- 370 Dave Cutler
 C S0061- 371 Dave Cutler
 C S0061- 372 Dave Cutler
 C S0061- 373 Dave Cutler

 C S0061- 374 Dave Cutler
 C S0061- 375 Dave Cutler
 C S0061- 376 Dave Cutler
 C S0061- 377 Dave Cutler
 C S0061- 378 Dave Cutler
 C S0061- 379 Dave Cutler

 C S0061- 380 Dave Cutler
 C S0061- 381 Dave Cutler
 C S0061- 382 Dave Cutler
 C S0061- 383 Dave Cutler
 C S0061- 384 Dave Cutler

 C S0061- 386 Dave Cutler
 C S0061- 387 Dave Cutler
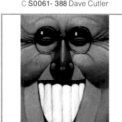 C S0061- 388 Dave Cutler
 C S0061- 389 Dave Cutler
 C S0061- 390 Dave Cutler
C S0061- 385 Dave Cutler

 C S0061- 391 Dave Cutler
 C S0061- 392 Dave Cutler
 C S0061- 393 Dave Cutler
 C S0061- 394 Dave Cutler

 C S0061- 396 Dave Cutler
 C S0061- 397 Dave Cutler
 C S0061- 398 Dave Cutler
C S0061- 399 Dave Cutler
C S0061- 400 Dave Cutler

C S0061- 395 Dave Cutler
 C S0061- 401 Dave Cutler
 C S0061- 402 Dave Cutler
 C S0061- 403 Dave Cutler
C S0061- 404 Dave Cutler
 C S0061- 405 Dave Cutler

www.images.com

Price level A Icon $90 Spot $150 ¼ page $195 Price level B Icon $125 Spot $190 ¼ page $250
Price level C Icon $160 Spot $240 ¼ page $315 Price level D Icon $230 Spot $320 ¼ page $420

C S0061- 406 Dave Cutler

C S0061- 407 Dave Cutler

C S0061- 408 Dave Cutler

C S0061- 409 Dave Cutler

C S0061- 410 Dave Cutler

C S0061- 411 Dave Cutler

C S0061- 412 Dave Cutler

C S0061- 413 Dave Cutler

C S0061- 414 Dave Cutler

C S0061- 415 Dave Cutler

C S0061- 416 Dave Cutler

C S0061- 417 Dave Cutler

C S0061- 418 Dave Cutler

C S0061- 419 Dave Cutler

C S0061- 420 Dave Cutler

C S0061- 421 Dave Cutler

C S0061- 422 Dave Cutler

C S0061- 423 Dave Cutler

C S0061- 424 Dave Cutler

C S0061- 426 Dave Cutler

C S0061- 427 Dave Cutler

C S0061- 428 Dave Cutler

C S0061- 429 Dave Cutler

C S0061- 430 Dave Cutler

C S0061- 431 Dave Cutler

C S0061- 432 Dave Cutler

C S0061- 433 Dave Cutler

C S0061- 434 Dave Cutler

C S0061- 435 Dave Cutler

C S0061- 436 Dave Cutler

C S0061- 437 Dave Cutler

C S0061- 438 Dave Cutler

C S0061- 439 Dave Cutler

C S0061- 440 Dave Cutler

C S0061- 441 Dave Cutler

C S0061- 442 Dave Cutler

C S0061- 443 Dave Cutler

C S0061- 444 Dave Cutler

C S0061- 445 Dave Cutler

C S0061- 446 Dave Cutler

C S0061- 447 Dave Cutler

Price level A Icon $90 Spot $150 ¼ page $195 Price level B Icon $125 Spot $190 ¼ page $250
Price level C Icon $160 Spot $240 ¼ page $315 Price level D Icon $230 Spot $320 ¼ page $420
www.images.com **69**

C S0061- 448 Dave Cutler

C S0061- 449 Dave Cutler

C S0061- 454 Dave Cutler

C S0061- 451 Dave Cutler

C S0061- 452 Dave Cutler

C S0061- 453 Dave Cutler

C S0061- 455 Dave Cutler

C S0061- 450 Dave Cutler

C S0665-01 Sandra Dionisi

C S0665-02 Sandra Dionisi

C S0665-03 Sandra Dionisi

C S0665-04 Sandra Dionisi

C S0665-05 Sandra Dionisi

C S0665-06 Sandra Dionisi

C S0665-07 Sandra Dionisi

C S0665-08 Sandra Dionisi

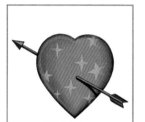

C S0665-09 Sandra Dionisi

C S0665-10 Sandra Dionisi

C S0665-11 Sandra Dionisi

C S0665-13 Sandra Dionisi

C S0665-14 Sandra Dionisi

C S0665-15 Sandra Dionisi

C S0665-16 Sandra Dionisi

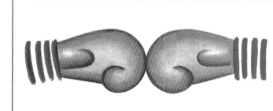

C S0665-17 Sandra Dionisi

C S0665-12 Sandra Dionisi

C S0665-18 Sandra Dionisi

C S0665-22 Sandra Dionisi

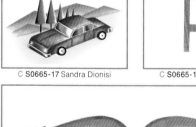

C S0665-20 Sandra Dionisi

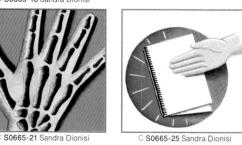

C S0665-21 Sandra Dionisi

C S0665-25 Sandra Dionisi

C S0665-24 Sandra Dionisi

C S0665-23 Sandra Dionisi

C S0665-26 Sandra Dionisi

C S0665-27 Sandra Dionisi

C S0665-19 Sandra Dionisi

Price level A Icon $90 Spot $150 ¼ page $195 Price level B Icon $125 Spot $190 ¼ page $250
Price level C Icon $160 Spot $240 ¼ page $315 Price level D Icon $230 Spot $320 ¼ page $420

C S1035 - 02 Michael Melluzo

C S1035 - 01 Michael Melluzo

C S1035 - 03 Michael Melluzo

C S1035 - 04 Michael Melluzo

C S1035 - 06 Michael Melluzo

C S1035 - 05 Michael Melluzo

C S1035 - 07 Michael Melluzo

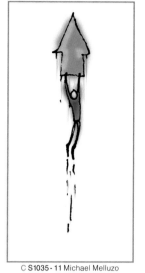

C S1035 - 14 Michael Melluzo

C S1035 - 09 Michael Melluzo

C S1035 - 12 Michael Melluzo

C S1035 - 11 Michael Melluzo

C S1035 - 10 Michael Melluzo

C S1035 - 13 Michael Melluzo

C S1035 - 08 Michael Melluzo

C S1035 - 16 Michael Melluzo

C S1035 - 17 Michael Melluzo

C S1035 - 15 Michael Melluzo

C S1035 - 18 Michael Melluzo

C S1035 - 19 Michael Melluzo

C S1035 - 23 Michael Melluzo

C S1035 - 21 Michael Melluzo

C S1035 - 22 Michael Melluzo

C S1035 - 20 Michael Melluzo

C S1035 - 24 Michael Melluzo

C S1035 - 25 Michael Melluzo

C S1035 - 26 Michael Melluzo

C S1035 - 27 Michael Melluzo

C S1035 - 28 Michael Melluzo

C S1035 - 29 Michael Melluzo

C S1035 - 30 Michael Melluzo

C S1035 - 31 Michael Melluzo

B S1404 - 01 Igor Kopelnitsky

B S1404 - 02 Igor Kopelnitsky

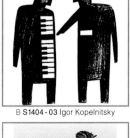

B S1404 - 03 Igor Kopelnitsky

B S1404 - 04 Igor Kopelnitsky

B S1404 - 05 Igor Kopelnitsky

B S1404 - 06 Igor Kopelnitsky

B S1404 - 07 Igor Kopelnitsky

B S1404 - 08 Igor Kopelnitsky

C S1404 - 09 Igor Kopelnitsky

C S1404 - 11 Igor Kopelnitsky

C S1404 - 10 Igor Kopelnitsky

C S1404 - 12 Igor Kopelnitsky

Price level A Icon $90 Spot $150 ¼ page $195 Price level B Icon $125 Spot $190 ¼ page $250
Price level C Icon $160 Spot $240 ¼ page $315 Price level D Icon $230 Spot $320 ¼ page $420

www.images.com 71

C S1421-01 Peter Alsberg

C S1421-02 Peter Alsberg

C S1421-03 Peter Alsberg

C S1421-04 Peter Alsberg

C S1421-05 Peter Alsberg

C S1421-06 Peter Alsberg

C S1421-07 Peter Alsberg

C S1421-08 Peter Alsberg

C S1421-09 Peter Alsberg

C S1421-10 Peter Alsberg

C S1421-11 Peter Alsberg

C S1421-12 Peter Alsberg

C S1421-13 Peter Alsberg

C S1421-14 Peter Alsberg

C S1421-15 Peter Alsberg

C S1421-16 Peter Alsberg

C S1421-17 Peter Alsberg

C S1421-18 Peter Alsberg

C S1421-19 Peter Alsberg

C S1421-20 Peter Alsberg

C S1421-21 Peter Alsberg

C S1421-22 Peter Alsberg

C S1421-24 Peter Alsberg

C S1421-23 Peter Alsberg

C S1421-25 Peter Alsberg

C S1421-26 Peter Alsberg

C S1421-27 Peter Alsberg

C S1421-28 Peter Alsberg

C S1421-29 Peter Alsberg

C S1421-30 Peter Alsberg

C S1421-31 Peter Alsberg

C S1421-32 Peter Alsberg

C S1421-33 Peter Alsberg

C S1421-34 Peter Alsberg

C S1421-35 Peter Alsberg

C S1421-36 Peter Alsberg

C S1421-37 Peter Alsberg

C S1421-38 Peter Alsberg

C S1421-39 Peter Alsberg

C S1421-40 Peter Alsberg

C S1421-41 Peter Alsberg

C S1421-42 Peter Alsberg

C S1421-43 Peter Alsberg

C S1421-44 Peter Alsberg

C S1421-45 Peter Alsberg

C S1421-46 Peter Alsberg

Price level A Icon $90 Spot $150 ¼ page $195 Price level B Icon $125 Spot $190 ¼ page $250
Price level C Icon $160 Spot $240 ¼ page $315 Price level D Icon $230 Spot $320 ¼ page $420

C S1421-47 Peter Alsberg
C S1421-48 Peter Alsberg
C S1421-49 Peter Alsberg
C S1421-50 Peter Alsberg
C S1454-01 Arnie Levin
B S1454-02 Arnie Levin

B S1454-03 Arnie Levin
C S1454-04 Arnie Levin
C S1454-05 Arnie Levin
C S1454-06 Arnie Levin
B S1454-07 Arnie Levin
B S1454-08 Arnie Levin

C S1454-10 Arnie Levin
C S1454-11 Arnie Levin
B S1454-12 Arnie Levin
C S1454-13 Arnie Levin

B S1454-14 Arnie Levin
B S1454-09 Arnie Levin
C S1454-15 Arnie Levin
C S1454-16 Arnie Levin
C S1454-17 Arnie Levin
C S1454-18 Arnie Levin

C S1454-19 Arnie Levin
C S1454-20 Arnie Levin
C S1454-21 Arnie Levin
C S1454-22 Arnie Levin
C S1454-23 Arnie Levin
C S1454-24 Arnie Levin

B S1454-25 Arnie Levin
C S1454-26 Arnie Levin
B S1454-27 Arnie Levin
B S1454-28 Arnie Levin

B S1192-10 Phil Boatwright
B S1192-09 Phil Boatwright
B S1192-04 Phil Boatwright
B S1192-12 Phil Boatwright
B S1192-06 Phil Boatwright

B S1192-07 Phil Boatwright

B S1192-11 Phil Boatwright

B S1192-03 Phil Boatwright
B S1192-02 Phil Boatwright

B S1192-08 Phil Boatwright

B S1192-05 Phil Boatwright

Price level A Icon $90 Spot $150 ¼ page $195   Price level B Icon $125 Spot $190 ¼ page $250
Price level C Icon $160 Spot $240 ¼ page $315   Price level D Icon $230 Spot $320 ¼ page $420

C S0179-55 Peter Bono

B S0179-34 Peter Bono

C S0179-91 Peter Bono

B S0179-15 Peter Bono

B S0179-05 Peter Bono

C S0179-44 Peter Bono

B S0179-47 Peter Bono

B S0179-09 Peter Bono

B S0179-39 Peter Bono

B S0179-10 Peter Bono

B S0179-77 Peter Bono

B S0179-12 Peter Bono

B S0179-13 Peter Bono

B S0179-46 Peter Bono

B S0179-69 Peter Bono

B S0179-21 Peter Bono

B S0179-60 Peter Bono

B S0179-76 Peter Bono

B S0179-20 Peter Bono

B S0179-82 Peter Bono

C S0179-96 Peter Bono

B S0179-23 Peter Bono

B S0179-24 Peter Bono

B S0179-75 Peter Bono

B S0179-78 Peter Bono

C S0179-54 Peter Bono

B S0179-28 Peter Bono

B S0179-52 Peter Bono

B S0179-87 Peter Bono

B S0179-70 Peter Bono

B S0179-63 Peter Bono

B S0179-72 Peter Bono

B S0179-32 Peter Bono

B S0179-50 Peter Bono

B S0179-36 Peter Bono

B S0179-81 Peter Bono

B S0179-38 Peter Bono

B S0179-43 Peter Bono

B S0179-40 Peter Bono

B S0179-41 Peter Bono

B S0179-42 Peter Bono

B S0179-80 Peter Bono

B S0179-27 Peter Bono

B S0179-45 Peter Bono

B S0179-58 Peter Bono

B S0179-11 Peter Bono

C S0179-48 Peter Bono

Price level A Icon $90 Spot $150 ¼ page $195 Price level B Icon $125 Spot $190 ¼ page $250
Price level C Icon $160 Spot $240 ¼ page $315 Price level D Icon $230 Spot $320 ¼ page $420

C S0179-95 Peter Bono

B S0179-26 Peter Bono

C S0179-51 Peter Bono

B S0179-03 Peter Bono

C S0179-53 Peter Bono

C S0179-98 Peter Bono

B S0179-19 Peter Bono

B S0179-56 Peter Bono

C S0179-57 Peter Bono

B S0179-08 Peter Bono

B S0179-59 Peter Bono

B S0179-04 Peter Bono

B S0179-97 Peter Bono

B S0179-62 Peter Bono

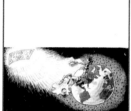
B S0179-30 Peter Bono

B S0179-64 Peter Bono

B S0179-65 Peter Bono

B S0179-66 Peter Bono

B S0179-67 Peter Bono

C S0179-93 Peter Bono

B S0179-33 Peter Bono

B S0179-71 Peter Bono

B S0179-02 Peter Bono

B S0179-89 Peter Bono

C S0179-74 Peter Bono

B S0179-07 Peter Bono

B S0179-85 Peter Bono

B S0179-01 Peter Bono

B S0179-35 Peter Bono

B S0179-79 Peter Bono

B S0179-16 Peter Bono

B S0179-68 Peter Bono

B S0179-31 Peter Bono

B S0179-83 Peter Bono

B S0179-84 Peter Bono

B S0179-29 Peter Bono

B S0179-86 Peter Bono

B S0179-18 Peter Bono

B S0179-88 Peter Bono

B S0179-25 Peter Bono

B S0179-90 Peter Bono

B S0179-73 Peter Bono

B S0179-92 Peter Bono

B S0179-22 Peter Bono

B S0179-49 Peter Bono

B S0179-14 Peter Bono

B S0179-94 Peter Bono

Price level A Icon $90 Spot $150 ¼ page $195 Price level B Icon $125 Spot $190 ¼ page $250
Price level C Icon $160 Spot $240 ¼ page $315 Price level D Icon $230 Spot $320 ¼ page $420
www.images.com 75

B S0822-38 Matt Wawiorka

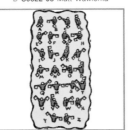

B S0822-02 Matt Wawiorka

B S0822-03 Matt Wawiorka

B S0822-04 Matt Wawiorka

B S0822-05 Matt Wawiorka

B S0822-06 Matt Wawiorka

B S0822-34 Matt Wawiorka

B S0822-08 Matt Wawiorka

B S0822-09 Matt Wawiorka

B S0822-29 Matt Wawiorka

B S0822-11 Matt Wawiorka

B S0822-12 Matt Wawiorka

B S0822-13 Matt Wawiorka

B S0822-14 Matt Wawiorka

B S0822-15 Matt Wawiorka

B S0822-16 Matt Wawiorka

B S0822-17 Matt Wawiorka

B S0822-18 Matt Wawiorka

B S0822-19 Matt Wawiorka

B S0822-20 Matt Wawiorka

B S0822-21 Matt Wawiorka

B S0822-22 Matt Wawiorka

B S0822-23 Matt Wawiorka

B S0822-24 Matt Wawiorka

B S0822-25 Matt Wawiorka

B S0822-26 Matt Wawiorka

B S0822-27 Matt Wawiorka

B S0822-28 Matt Wawiorka

B S0822-10 Matt Wawiorka

B S0822-30 Matt Wawiorka

B S0822-31 Matt Wawiorka

B S0822-32 Matt Wawiorka

B S0822-33 Matt Wawiorka

B S0822-07 Matt Wawiorka

B S0822-35 Matt Wawiorka

B S0822-36 Matt Wawiorka

B S0822-37 Matt Wawiorka

B S0822-01 Matt Wawiorka

B S0822-39 Matt Wawiorka

B S0822-40 Matt Wawiorka

B S0822-41 Matt Wawiorka

B S0822-42 Matt Wawiorka

B S0822-43 Matt Wawiorka

B S0822-44 Matt Wawiorka

A S0822-45 Matt Wawiorka

B S0822-46 Matt Wawiorka

A S0822-47 Matt Wawiorka

B S0822-48 Matt Wawiorka

Price level A Icon $90 Spot $150 ¼ page $195 Price level B Icon $125 Spot $190 ¼ page $250
Price level C Icon $160 Spot $240 ¼ page $315 Price level D Icon $230 Spot $320 ¼ page $420

C S1186-19 John Nelson

C S1186-17 John Nelson

C S1186-04 John Nelson

C S1186-34 John Nelson

C S1186-06 John Nelson

C S1186-09 John Nelson

C S1186-03 John Nelson

C S1186-11 John Nelson

C S1186-20 John Nelson

C S1186-13 John Nelson

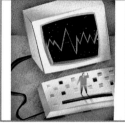
C S1186-14 John Nelson

C S1186-15 John Nelson

C S1186-16 John Nelson

C S1186-10 John Nelson

C S1186-18 John Nelson

C S1186-08 John Nelson

C S1186-45 John Nelson

C S1186-21 John Nelson

C S1186-22 John Nelson

C S1186-23 John Nelson

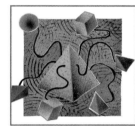
C S1186-39 John Nelson

C S1186-07 John Nelson

C S1186-26 John Nelson

C S1186-41 John Nelson

C S1186-28 John Nelson

C S1186-29 John Nelson

C S1186-30 John Nelson

C S1186-31 John Nelson

C S1186-32 John Nelson

B S1186-33 John Nelson

C S1186-05 John Nelson

C S1186-35 John Nelson

C S1186-25 John Nelson

C S1186-37 John Nelson

C S1186-38 John Nelson

C S1186-24 John Nelson

C S1186-40 John Nelson

C S1186-27 John Nelson

C S1186-42 John Nelson

C S1186-43 John Nelson

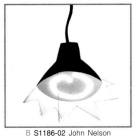
B S1186-02 John Nelson

C S1186-44 John Nelson

C S1186-46 John Nelson

C S1186-01 John Nelson

C S1186-12 John Nelson

Price level A Icon $90 Spot $150 ¼ page $195 Price level B Icon $125 Spot $190 ¼ page $250
Price level C Icon $160 Spot $240 ¼ page $315 Price level D Icon $230 Spot $320 ¼ page $420

www.images.com

79

B S0281-01 Charles Waller

B S0281-02 Charles Waller

B S0281-03 Charles Waller

B S0281-04 Charles Waller

B S0281-05 Charles Waller

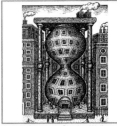
B S0281-06 Charles Waller

B S0281-07 Charles Waller

B S0281-08 Charles Waller

B S0281-28 Charles Waller

B S0281-10 Charles Waller

B S0281-11 Charles Waller

B S0281-12 Charles Waller

B S0281-13 Charles Waller

B S0281-14 Charles Waller

B S0281-09 Charles Waller

B S0281-16 Charles Waller

B S0281-17 Charles Waller

B S0281-18 Charles Waller

B S0281-19 Charles Waller

B S0281-20 Charles Waller

B S0281-21 Charles Waller

B S0281-22 Charles Waller

B S0281-23 Charles Waller

B S0281-25 Charles Waller

B S0281-26 Charles Waller

B S0281-27 Charles Waller

B S0281-40 Charles Waller

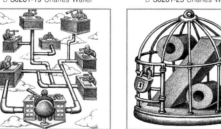
B S0281-30 Charles Waller

B S0281-31 Charles Waller

B S0281-32 Charles Waller

B S0281-29 Charles Waller

B S0281-35 Charles Waller

B S0281-24 Charles Waller

B S0281-37 Charles Waller

B S0281-38 Charles Waller

B S0281-39 Charles Waller

B S0281-15 Charles Waller

B S0281-41 Charles Waller

B S0281-42 Charles Waller

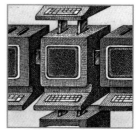
B S0281-43 Charles Waller

B S0281-44 Charles Waller

B S0281-45 Charles Waller

Price level A Icon $90 Spot $150 ¼ page $195 Price level B Icon $125 Spot $190 ¼ page $250
Price level C Icon $160 Spot $240 ¼ page $315 Price level D Icon $230 Spot $320 ¼ page $420

B S0281-46 Charles Waller

B S0281-47 Charles Waller

B S0281-48 Charles Waller

B S0281-49 Charles Waller

B S0281-50 Charles Waller

B S0281-51 Charles Waller

B S0281-52 Charles Waller

B S0281-53 Charles Waller

B S0281-54 Charles Waller

B S0281-55 Charles Waller

A S0281-56 Charles Waller

B S0281-57 Charles Waller

B S0281-58 Charles Waller

B S0281-59 Charles Waller

B S0281-60 Charles Waller

B S0281-61 Charles Waller

B S0281-62 Charles Waller

B S0281-63 Charles Waller

B S0281-64 Charles Waller

B S0281-65 Charles Waller

B S0281-66 Charles Waller

B S0281-67 Charles Waller

B S0281-68 Charles Waller

B S0281-69 Charles Waller

B S0281-70 Charles Waller

B S0281-71 Charles Waller

B S0281-72 Charles Waller

B S0281-73 Charles Waller

B S0281-74 Charles Waller

B S0281-75 Charles Waller

B S0281-76 Charles Waller

B S0281-77 Charles Waller

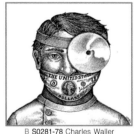

B S0281-78 Charles Waller

B S0281-79 Charles Waller

B S0281-80 Charles Waller

B S0281-81 Charles Waller

B S0281-82 Charles Waller

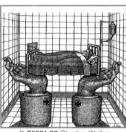

B S0281-83 Charles Waller

B S0281-84 Charles Waller

B S0281-85 Charles Waller

B S0281-86 Charles Waller

B S0281-92 Charles Waller

B S0281-88 Charles Waller

B S0281-89 Charles Waller

B S0281-90 Charles Waller

B S0281-94 Charles Waller

B S0281-98 Charles Waller

Price level A Icon $90 Spot $150 ¼ page $195 Price level B Icon $125 Spot $190 ¼ page $250
Price level C Icon $160 Spot $240 ¼ page $315 Price level D Icon $230 Spot $320 ¼ page $420

B S0820-20 Andy Attiliis

B S0820-34 Andy Attiliis

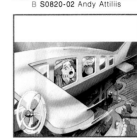
B S0820-02 Andy Attiliis

B S0820-06 Andy Attiliis

B S0820-01 Andy Attiliis

B S0820-41 Andy Attiliis

B S0820-36 Andy Attiliis

B S0820-21 Andy Attiliis

B S0820-10 Andy Attiliis

B S0820-12 Andy Attiliis

B S0820-13 Andy Attiliis

B S0820-14 Andy Attiliis

B S0820-15 Andy Attiliis

B S0820-16 Andy Attiliis

B S0820-17 Andy Attiliis

B S0820-18 Andy Attiliis

B S0820-19 Andy Attiliis

B S0820-03 Andy Attiliis

B S0820-04 Andy Attiliis

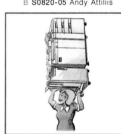
B S0820-05 Andy Attiliis

B S0820-22 Andy Attiliis

B S0820-23 Andy Attiliis

C S0820-47 Andy Attiliis

B S0820-46 Andy Attiliis

C S0820-25 Andy Attiliis

B S0820-26 Andy Attiliis

B S0820-27 Andy Attiliis

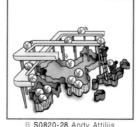
B S0820-28 Andy Attiliis

B S0820-29 Andy Attiliis

B S0820-30 Andy Attiliis

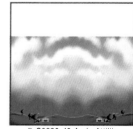
B S0820-31 Andy Attiliis

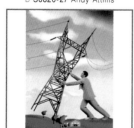
C S0820-33 Andy Attiliis

B S0820-11 Andy Attiliis

B S0820-37 Andy Attiliis

B S0820-42 Andy Attiliis

C S0820-39 Andy Attiliis

B S0820-32 Andy Attiliis

B S0820-40 Andy Attiliis

B S0820-07 Andy Attiliis

B S0820-08 Andy Attiliis

B S0820-35 Andy Attiliis

Price level A Icon $90 Spot $150 ¼ page $195 Price level B Icon $125 Spot $190 ¼ page $250
Price level C Icon $160 Spot $240 ¼ page $315 Price level D Icon $230 Spot $320 ¼ page $420

C S0820-38 Andy Attiliis

B S0820-09 Andy Attiliis

B S0820-43 Andy Attiliis

C S0820-44 Andy Attiliis

C S0820-45 Andy Attiliis

B S0820-49 Andy Attiliis

B S0820-48 Andy Attiliis

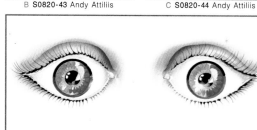

C S0820-24 Andy Attiliis

B S1050-01 Keith Bendis

B S1050-02 Keith Bendis

B S1050-03 Keith Bendis

B S1050-04 Keith Bendis

B S1050-05 Keith Bendis

B S1050-06 Keith Bendis

B S1050-07 Keith Bendis

B S1050-08 Keith Bendis

B S1050-09 Keith Bendis

B S1050-10 Keith Bendis

B S1050-11 Keith Bendis

B S1050-12 Keith Bendis

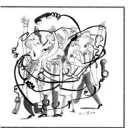

B S1050-14 Keith Bendis

B S1050-15 Keith Bendis

C S1050-19 Keith Bendis

B S1050-16 Keith Bendis

B S1050-13 Keith Bendis

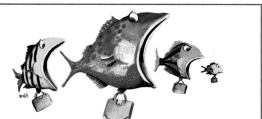

C S1050-17 Keith Bendis

B S1050-20 Keith Bendis

B S1050-23 Keith Bendis

B S1050-21 Keith Bendis

B S1050-18 Keith Bendis

B S1050-22 Keith Bendis

C S1400-01 Len Shalansky

C S1400-02 Len Shalansky

C S1400-03 Len Shalansky

C S1400-04 Len Shalansky

C S1400-05 Len Shalansky

C S1400-06 Len Shalansky

C S1400-07 Len Shalansky

C S1400-08 Len Shalansky

C S1400-09 Len Shalansky

C S1400-10 Len Shalansky

Price level A Icon $90 Spot $150 ¼ page $195 Price level B Icon $125 Spot $190 ¼ page $250
Price level C Icon $160 Spot $240 ¼ page $315 Price level D Icon $230 Spot $320 ¼ page $420

www.images.com 83

C S1088-01 Joan Hall

C S1088-02 Joan Hall

C S1088-03 Joan Hall

C S1088-04 Joan Hall

C S1088-05 Joan Hall

C S1088-06 Joan Hall

C S1088-07 Joan Hall

C S1088-08 Joan Hall

C S1088-09 Joan Hall

C S1088-10 Joan Hall

C S1088-11 Joan Hall

C S1088-12 Joan Hall

C S1088-13 Joan Hall

C S1088-14 Joan Hall

C S1088-15 Joan Hall

C S1088-16 Joan Hall

C S1088-17 Joan Hall

C S1088-18 Joan Hall

C S1088-19 Joan Hall

C S1088-20 Joan Hall

C S1088-21 Joan Hall

C S1088-22 Joan Hall

C S1088-23 Joan Hall

C S1088-25 Joan Hall

C S1088-24 Joan Hall

C S1088-26 Joan Hall

C S1088-27 Joan Hall

C S1088-28 Joan Hall

C S1088-29 Joan Hall

C S1088-30 Joan Hall

Price level A Icon $90 Spot $150 ¼ page $195 Price level B Icon $125 Spot $190 ¼ page $250
Price level C Icon $160 Spot $240 ¼ page $315 Price level D Icon $230 Spot $320 ¼ page $420

C S1088-31 Joan Hall

C S1088-32 Joan Hall

C S1088-33 Joan Hall

C S1088-34 Joan Hall

C S1088-35 Joan Hall

C S1088-36 Joan Hall

C S1088-37 Joan Hall

C S1088-38 Joan Hall

C S1088-39 Joan Hall

C S1088-40 Joan Hall

C S1088-41 Joan Hall

C S1088-43 Joan Hall

C S1088-44 Joan Hall

C S1088-45 Joan Hall

C S1088-46 Joan Hall

C S1219-01 Sue Truman

C S1219-02 Sue Truman

C S1219-03 Sue Truman

C S1219-04 Sue Truman

C S1219-05 Sue Truman

C S1219-06 Sue Truman

C S1219-07 Sue Truman

C S1219-09 Sue Truman

C S1219-10 Sue Truman

C S1219-11 Sue Truman

C S1219-12 Sue Truman

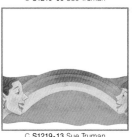
C S1219-13 Sue Truman

C S1219-14 Sue Truman

C S1219-15 Sue Truman

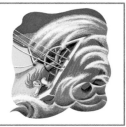
C S1219-16 Sue Truman

C S1219-17 Sue Truman

C S1219-18 Sue Truman

C S1219-19 Sue Truman

C S1219-20 Sue Truman

C S1219-21 Sue Truman

C S1219-08 Sue Truman

Price level A Icon $90 Spot $150 ¼ page $195 Price level B Icon $125 Spot $190 ¼ page $250
Price level C Icon $160 Spot $240 ¼ page $315 Price level D Icon $230 Spot $320 ¼ page $420

www.images.com 85

 B S1434-01 Art Glazer
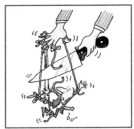 B S1434-02 Art Glazer
 B S1434-03 Art Glazer
 B S1434-04 Art Glazer
 B S1434-05 Art Glazer
 B S1434-06 Art Glazer

 C S1434-07 Art Glazer
 B S1434-08 Art Glazer
 B S1434-09 Art Glazer
 C S1434-10 Art Glazer
 B S1434-11 Art Glazer

 B S1434-12 Art Glazer
 C S1434-13 Art Glazer
 B S1434-14 Art Glazer
B S1434-15 Art Glazer
 B S1434-16 Art Glazer

 B S1434-17 Art Glazer
 C S1434-18 Art Glazer
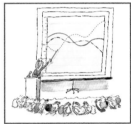 B S1434-19 Art Glazer
 B S1434-20 Art Glazer
 B S1434-21 Art Glazer
 B S1434-22 Art Glazer

 B S1434-23 Art Glazer
 B S1434-24 Art Glazer
 B S1434-25 Art Glazer
 B S1434-26 Art Glazer
 C S1434-27 Art Glazer
 B S1434-28 Art Glazer

 B S1434-29 Art Glazer
 B S1434-30 Art Glazer
 B S1434-31 Art Glazer
 B S1434-32 Art Glazer
 B S1434-33 Art Glazer
 C S1434-34 Art Glazer

 B S1434-35 Art Glazer
 B S1434-36 Art Glazer
 B S1434-37 Art Glazer
 B S1434-38 Art Glazer
 C S1434-39 Art Glazer

 B S1434-40 Art Glazer
 B S1434-41 Art Glazer
 B S1434-42 Art Glazer
 B S1434-43 Art Glazer
 B S1434-44 Art Glazer
 B S1434-45 Art Glazer

Price level A Icon $90 Spot $150 ¼ page $195   Price level B Icon $125 Spot $190 ¼ page $250
Price level C Icon $160 Spot $240 ¼ page $315   Price level D Icon $230 Spot $320 ¼ page $420

B S1434-46 Art Glazer

B S1434-47 Art Glazer

B S1434-48 Art Glazer

B S1434-49 Art Glazer

B S1434-50 Art Glazer

B S1434-51 Art Glazer

B S1434-52 Art Glazer

B S1434-53 Art Glazer

B S1434-55 Art Glazer

B S1434-56 Art Glazer

C S1434-57 Art Glazer

B S1434-58 Art Glazer

B S1434-59 Art Glazer

B S1434-54 Art Glazer

C S1434-60 Art Glazer

B S1445-09 Steve Gray

B S1445-10 Steve Gray

B S1445-03 Steve Gray

B S1445-04 Steve Gray

B S1445-01 Steve Gray

B S1445-02 Steve Gray

B S1420-01 Nathan Y. Jarvis

B S1445-07 Steve Gray

B S1445-08 Steve Gray

B S1445-05 Steve Gray

B S1445-06 Steve Gray

B S1445-11 Steve Gray

B S1445-12 Steve Gray

B S1445-13 Steve Gray

B S1445-14 Steve Gray

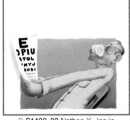

B S1420-02 Nathan Y. Jarvis

B S1420-03 Nathan Y. Jarvis

B S1420-04 Nathan Y. Jarvis

B S1420-07 Nathan Y. Jarvis

B S1420-06 Nathan Y. Jarvis

B S1420-05 Nathan Y. Jarvis

B S1420-08 Nathan Y. Jarvis

B S1420-09 Nathan Y. Jarvis

B S1420-10 Nathan Y. Jarvis

Price level A Icon $90 Spot $150 ¼ page $195 Price level B Icon $125 Spot $190 ¼ page $250
Price level C Icon $160 Spot $240 ¼ page $315 Price level D Icon $230 Spot $320 ¼ page $420

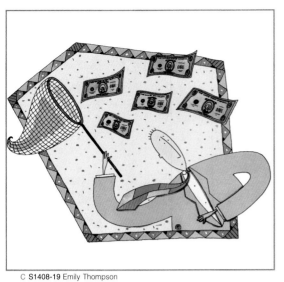
C S1408-19 Emily Thompson

C S1408-03 Emily Thompson

C S1408-04 Emily Thompson

C S1408-07 Emily Thompson

C S1408-09 Emily Thompson

C S1408-23 Emily Thompson

C S1408-02 Emily Thompson

C S1408-12 Emily Thompson

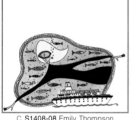
C S1408-13 Emily Thompson

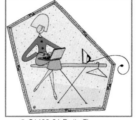
C S1408-14 Emily Thompson

C S1408-36 Emily Thompson

C S1408-16 Emily Thompson

C S1408-17 Emily Thompson

C S1408-18 Emily Thompson

C S1408-08 Emily Thompson

C S1408-28 Emily Thompson

C S1408-21 Emily Thompson

C S1408-22 Emily Thompson

C S1408-33 Emily Thompson

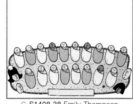
C S1408-25 Emily Thompson

C S1408-27 Emily Thompson

C S1408-32 Emily Thompson

C S1408-29 Emily Thompson

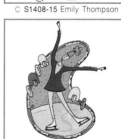
C S1408-20 Emily Thompson

C S1408-31 Emily Thompson

C S1408-38 Emily Thompson

C S1408-37 Emily Thompson

C S1408-34 Emily Thompson

C S1408-35 Emily Thompson

C S1408-15 Emily Thompson

C S1408-10 Emily Thompson

C S1408-06 Emily Thompson

C S1408-40 Emily Thompson

C S1408-11 Emily Thompson

C S1408-42 Emily Thompson

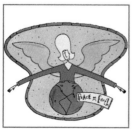
C S1408-43 Emily Thompson

C S1408-44 Emily Thompson

C S1408-45 Emily Thompson

C S1408-24 Emily Thompson

C S1408-47 Emily Thompson

C S1408-48 Emily Thompson

Price level A Icon $90 Spot $150 ¼ page $195 Price level B Icon $125 Spot $190 ¼ page $250
Price level C Icon $160 Spot $240 ¼ page $315 Price level D Icon $230 Spot $320 ¼ page $420

 C S1408-05 Emily Thompson
 C S1408-30 Emily Thompson
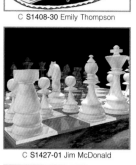 C S1408-49 Emily Thompson
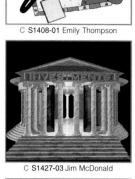 C S1408-01 Emily Thompson
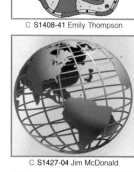 C S1408-41 Emily Thompson

 C S1408-26 Emily Thompson
 C S1408-46 Emily Thompson
 C S1427-01 Jim McDonald
 B S1427-02 Jim McDonald
 C S1427-03 Jim McDonald
 C S1427-04 Jim McDonald

 B S1427-05 Jim McDonald
 B S1427-06 Jim McDonald
 B S1427-07 Jim McDonald
 C S1427-08 Jim McDonald
 C S1427-10 Jim McDonald
 C S1427-09 Jim McDonald

 B S0295-01 Paul J. Fisch
 B S0295-02 Paul J. Fisch
 B S0295-03 Paul J. Fisch
 B S0295-04 Paul J. Fisch
 B S0295-05 Paul J. Fisch
 B S0295-06 Paul J. Fisch

 B S0295-07 Paul J. Fisch
 B S0295-18 Paul J. Fisch
 B S0295-09 Paul J. Fisch
 C S0295-10 Paul J. Fisch
B S0295-11 Paul J. Fisch

 B S0295-12 Paul J. Fisch
B S0295-13 Paul J. Fisch
 B S0295-14 Paul J. Fisch
 B S0295-15 Paul J. Fisch
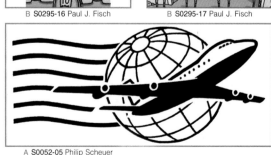 B S0295-16 Paul J. Fisch
B S0295-17 Paul J. Fisch

 B S0295-18 Paul J. Fisch
 A S0052-03 Philip Scheuer
 A S0052-02 Philip Scheuer
 A S0052-05 Philip Scheuer

 A S0052-07 Philip Scheuer
A S0052-06 Philip Scheuer
A S0052-01 Philip Scheuer
A S0052-10 Philip Scheuer
B S0052-09 Philip Scheuer
 A S0052-08 Philip Scheuer

Price level A Icon $90   Spot $150 ¼ page $195   Price level B Icon $125 Spot $190 ¼ page $250
Price level C Icon $160 Spot $240 ¼ page $315   Price level D Icon $230 Spot $320 ¼ page $420
www.images.com   89

C S1432-03 Cindy Jeftovic

C S1432-04 Cindy Jeftovic

C S1432-05 Cindy Jeftovic

C S1432-06 Cindy Jeftovic

C S1432-12 Cindy Jeftovic

C S1432-13 Cindy Jeftovic

C S1432-09 Cindy Jeftovic

C S1432-10 Cindy Jeftovic

C S1432-11 Cindy Jeftovic

C S1432-01 Cindy Jeftovic

C S1432-02 Cindy Jeftovic

C S1432-14 Cindy Jeftovic

C S1432-08 Cindy Jeftovic

C S1432-15 Cindy Jeftovic

C S1185-10 Leonid

C S1185-05 Leonid

C S1185-01 Leonid

C S1185-03 Leonid

C S1185-02 Leonid

C S1185-08 Leonid

C S1185-07 Leonid

C S1185-06 Leonid

C S1185-09 Leonid

C S1185-04 Leonid

C S1417-01 Scott Johnston

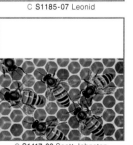

C S1417-02 Scott Johnston

C S1417-03 Scott Johnston

C S1417-04 Scott Johnston

C S1417-05 Scott Johnston

C S1417-06 Scott Johnston

C S1417-07 Scott Johnston

C S1417-08 Scott Johnston

C S1417-09 Scott Johnston

C S1417-10 Scott Johnston

Price level A Icon $90 Spot $150 ¼ page $195 Price level B Icon $125 Spot $190 ¼ page $250
Price level C Icon $160 Spot $240 ¼ page $315 Price level D Icon $230 Spot $320 ¼ page $420

 C S1433-01 Stu Suchit
 C S1433-02 Stu Suchit
 C S1433-03 Stu Suchit
 C S1433-04 Stu Suchit
 C S1433-05 Stu Suchit

 C S1433-06 Stu Suchit
 C S1433-07 Stu Suchit
 C S1433-08 Stu Suchit
 C S1433-09 Stu Suchit
 C S1433-10 Stu Suchit
 C S1433-11 Stu Suchit

 C S1433-12 Stu Suchit
 C S1433-13 Stu Suchit
 C S1433-14 Stu Suchit
 C S1433-15 Stu Suchit
 C S1433-16 Stu Suchit
 C S1433-17 Stu Suchit

 C S1433-18 Stu Suchit
 C S1433-19 Stu Suchit
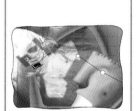 C S1433-20 Stu Suchit
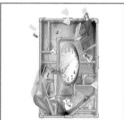 C S1433-21 Stu Suchit
 C S1433-22 Stu Suchit
 C S1433-23 Stu Suchit

 C S1433-24 Stu Suchit
 B S1439-01 Pat Hilliard-Barry
 B S1439-02 Pat Hilliard-Barry
 B S1439-03 Pat Hilliard-Barry
 B S1439-04 Pat Hilliard-Barry
 B S1439-05 Pat Hilliard-Barry

 B S1439-06 Pat Hilliard-Barry
 B S1439-07 Pat Hilliard-Barry
 B S1439-08 Pat Hilliard-Barry
 B S1439-09 Pat Hilliard-Barry
 B S1439-10 Pat Hilliard-Barry
 C S1424-01 Jack Hovey

 C S1424-02 Jack Hovey
 C S1424-03 Jack Hovey
 C S1424-04 Jack Hovey
 C S1424-05 Jack Hovey
 C S1424-06 Jack Hovey

 C S1424-07 Jack Hovey
 C S1424-08 Jack Hovey
C S1424-09 Jack Hovey
C S1424-10 Jack Hovey

Price level A Icon $90 Spot $150 ¼ page $195 Price level B Icon $125 Spot $190 ¼ page $250
Price level C Icon $160 Spot $240 ¼ page $315 Price level D Icon $230 Spot $320 ¼ page $420
www.images.com 91

B S1021-13 Robert J. Diercksmeier

B S1021-02 Robert J. Diercksmeier

B S1021-03 Robert J. Diercksmeier

B S1021-04 Robert J. Diercksmeier

B S1021-05 Robert J. Diercksmeier

B S1021-22 Robert J. Diercksmeier

B S1021-07 Robert J. Diercksmeier

B S1021-08 Robert J. Diercksmeier

B S1021-09 Robert J. Diercksmeier

B S1021-10 Robert J. Diercksmeier

B S1021-45 Robert J. Diercksmeier

B S1021-12 Robert J. Diercksmeier

B S1021-14 Robert J. Diercksmeier

B S1021-01 Robert J. Diercksmeier

B S1021-15 Robert J. Diercksmeier

B S1021-16 Robert J. Diercksmeier

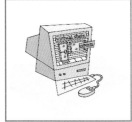
B S1021-17 Robert J. Diercksmeier

B S1021-18 Robert J. Diercksmeier

B S1021-19 Robert J. Diercksmeier

B S1021-40 Robert J. Diercksmeier

B S1021-21 Robert J. Diercksmeier

B S1021-06 Robert J. Diercksmeier

B S1021-23 Robert J. Diercksmeier

B S1021-24 Robert J. Diercksmeier

B S1021-25 Robert J. Diercksmeier

B S1021-26 Robert J. Diercksmeier

B S1021-28 Robert J. Diercksmeier

B S1021-49 Robert J. Diercksmeier

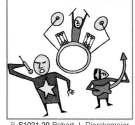
B S1021-29 Robert J. Diercksmeier

B S1021-30 Robert J. Diercksmeier

C S1021-31 Robert J. Diercksmeier

B S1021-32 Robert J. Diercksmeier

B S1021-33 Robert J. Diercksmeier

B S1021-34 Robert J. Diercksmeier

B S1021-35 Robert J. Diercksmeier

B S1021-36 Robert J. Diercksmeier

B S1021-20 Robert J. Diercksmeier

B S1021-38 Robert J. Diercksmeier

B S1021-39 Robert J. Diercksmeier

B S1021-41 Robert J. Diercksmeier

B S1021-37 Robert J. Diercksmeier

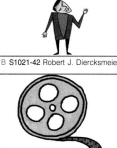
B S1021-42 Robert J. Diercksmeier

B S1021-47 Robert J. Diercksmeier

B S1021-44 Robert J. Diercksmeier

B S1021-46 Robert J. Diercksmeier

B S1021-11 Robert J. Diercksmeier

B S1021-43 Robert J. Diercksmeier

B S1021-48 Robert J. Diercksmeier

Price level A Icon $90 Spot $150 ¼ page $195 Price level B Icon $125 Spot $190 ¼ page $250
Price level C Icon $160 Spot $240 ¼ page $315 Price level D Icon $230 Spot $320 ¼ page $420

 B S1442-02 Art Kretzschmar
 B S1442-15 Art Kretzschmar
 B S1442-11 Art Kretzschmar
 B S1442-23 Art Kretzschmar
 B S1442-05 Art Kretzschmar
 B S1442-16 Art Kretzschmar

 B S1442-07 Art Kretzschmar
 B S1442-08 Art Kretzschmar
 B S1442-06 Art Kretzschmar
 B S1442-10 Art Kretzschmar
 B S1442-32 Art Kretzschmar
 B S1442-12 Art Kretzschmar

 B S1442-13 Art Kretzschmar
 B S1442-14 Art Kretzschmar
 B S1442-09 Art Kretzschmar
 B S1442-01 Art Kretzschmar
 B S1442-17 Art Kretzschmar
 B S1442-18 Art Kretzschmar

 B S1442-19 Art Kretzschmar
 B S1442-20 Art Kretzschmar
 B S1442-21 Art Kretzschmar
 B S1442-04 Art Kretzschmar
 B S1442-24 Art Kretzschmar

 B S1442-25 Art Kretzschmar
 B S1442-26 Art Kretzschmar
 B S1442-27 Art Kretzschmar
 B S1442-28 Art Kretzschmar
 B S1442-29 Art Kretzschmar
 B S1442-30 Art Kretzschmar

 B S1442-46 Art Kretzschmar
 B S1442-33 Art Kretzschmar
 B S1442-34 Art Kretzschmar
 B S1442-35 Art Kretzschmar
 B S1442-36 Art Kretzschmar

 B S1442-37 Art Kretzschmar
 B S1442-38 Art Kretzschmar
 B S1442-39 Art Kretzschmar
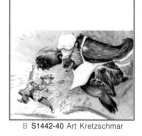 B S1442-40 Art Kretzschmar
 B S1442-41 Art Kretzschmar
 B S1442-42 Art Kretzschmar

 B S1442-43 Art Kretzschmar
 B S1442-44 Art Kretzschmar
 B S1442-45 Art Kretzschmar
 B S1442-31 Art Kretzschmar
 B S1442-03 Art Kretzschmar
 B S1442-22 Art Kretzschmar

Price level A Icon $90 Spot $150 ¼ page $195   Price level B Icon $125 Spot $190 ¼ page $250
Price level C Icon $160 Spot $240 ¼ page $315   Price level D Icon $230 Spot $320 ¼ page $420

www.images.com   93

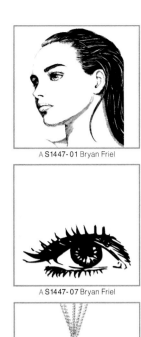 A S1447-01 Bryan Friel

 A S1447-02 Bryan Friel

 A S1447-03 Bryan Friel

 A S1447-04 Bryan Friel

 A S1447-05 Bryan Friel

 A S1447-98 Bryan Friel

A S1447-07 Bryan Friel

A S1447-08 Bryan Friel

 A S1447-09 Bryan Friel

A S1447-10 Bryan Friel

A S1447-11 Bryan Friel

A S1447-12 Bryan Friel

A S1447-13 Bryan Friel

A S1447-14 Bryan Friel

A S1447-15 Bryan Friel

A S1447-16 Bryan Friel

A S1447-17 Bryan Friel

A S1447-18 Bryan Friel

A S1447-19 Bryan Friel

A S1447-20 Bryan Friel

A S1447-21 Bryan Friel

A S1447-22 Bryan Friel

A S1447-23 Bryan Friel

A S1447-24 Bryan Friel

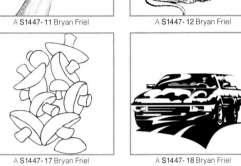 

 A S1447-25 Bryan Friel

 A S1447-26 Bryan Friel

 A S1447-27 Bryan Friel

 A S1447-28 Bryan Friel

 A S1447-29 Bryan Friel

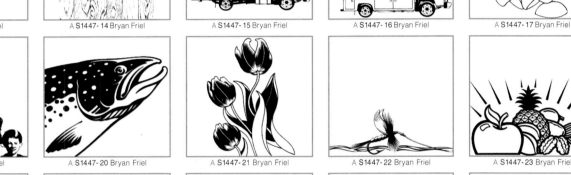 A S1447-30 Bryan Friel

 A S1447-31 Bryan Friel

 A S1447-32 Bryan Friel

 A S1447-33 Bryan Friel

 A S1447-97 Bryan Friel

 A S1447-35 Bryan Friel

 A S1447-36 Bryan Friel

 A S1447-37 Bryan Friel

 A S1447-38 Bryan Friel

 A S1447-39 Bryan Friel

 A S1447-40 Bryan Friel

 A S1447-41 Bryan Friel

 A S1447-42 Bryan Friel

 A S1447-43 Bryan Friel

 A S1447-44 Bryan Friel

 A S1447-45 Bryan Friel

 A S1447-46 Bryan Friel

 A S1447-47 Bryan Friel

 A S1447-48 Bryan Friel

Price level A Icon $90 Spot $150 ¼ page $195   Price level B Icon $125 Spot $190 ¼ page $250
Price level C Icon $160 Spot $240 ¼ page $315   Price level D Icon $230 Spot $320 ¼ page $420

A S1447-49 Bryan Friel

A S1447-50 Bryan Friel

A S1447-51 Bryan Friel

A S1447-52 Bryan Friel

A S1447-53 Bryan Friel

A S1447-54 Bryan Friel

A S1447-55 Bryan Friel

A S1447-56 Bryan Friel

A S1447-57 Bryan Friel

A S1447-58 Bryan Friel

A S1447-59 Bryan Friel

A S1447-60 Bryan Friel

A S1447-61 Bryan Friel

A S1447-62 Bryan Friel

A S1447-63 Bryan Friel

A S1447-64 Bryan Friel

A S1447-65 Bryan Friel

A S1447-66 Bryan Friel

A S1447-67 Bryan Friel

A S1447-68 Bryan Friel

A S1447-69 Bryan Friel

A S1447-70 Bryan Friel

A S1447-71 Bryan Friel

A S1447-72 Bryan Friel

A S1447-73 Bryan Friel

A S1447-74 Bryan Friel

A S1447-75 Bryan Friel

A S1447-76 Bryan Friel

A S1447-77 Bryan Friel

A S1447-78 Bryan Friel

A S1447-79 Bryan Friel

A S1447-80 Bryan Friel

A S1447-81 Bryan Friel

A S1447-82 Bryan Friel

A S1447-83 Bryan Friel

A S1447-84 Bryan Friel

A S1447-85 Bryan Friel

A S1447-86 Bryan Friel

A S1447-87 Bryan Friel

A S1447-88 Bryan Friel

A S1447-89 Bryan Friel

A S1447-90 Bryan Friel

A S1447-91 Bryan Friel

A S1447-92 Bryan Friel

A S1447-93 Bryan Friel

A S1447-94 Bryan Friel

A S1447-95 Bryan Friel

A S1447-96 Bryan Friel

Price level A Icon $90 Spot $150 ¼ page $195 Price level B Icon $125 Spot $190 ¼ page $250
Price level C Icon $160 Spot $240 ¼ page $315 Price level D Icon $230 Spot $320 ¼ page $420

www.images.com

95

C S1376-01 Felipe Galindo

C S1376-02 Felipe Galindo

C S1376-03 Felipe Galindo

C S1376-04 Felipe Galindo

C S1376-05 Felipe Galindo

C S1376-07 Felipe Galindo

C S1376-08 Felipe Galindo

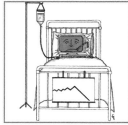
C S1376-37 Felipe Galindo

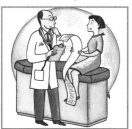
C S1376-10 Felipe Galindo

C S1376-39 Felipe Galindo

B S1376-12 Felipe Galindo

C S1376-13 Felipe Galindo

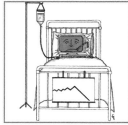
C S1376-14 Felipe Galindo

C S1376-15 Felipe Galindo

C S1376-16 Felipe Galindo

C S1376-17 Felipe Galindo

B S1376-18 Felipe Galindo

C S1376-19 Felipe Galindo

C S1376-20 Felipe Galindo

B S1376-21 Felipe Galindo

C S1376-22 Felipe Galindo

B S1376-23 Felipe Galindo

B S1376-24 Felipe Galindo

B S1376-25 Felipe Galindo

C S1376-26 Felipe Galindo

B S1376-27 Felipe Galindo

B S1376-28 Felipe Galindo

B S1376-29 Felipe Galindo

B S1376-30 Felipe Galindo

C S1376-31 Felipe Galindo

C S1376-32 Felipe Galindo

C S1376-33 Felipe Galindo

C S1376-34 Felipe Galindo

C S1376-35 Felipe Galindo

B S0145-01 Rob Barber

C S0145-02 Rob Barber

B S0145-03 Rob Barber

C S0145-04 Rob Barber

C S0145-05 Rob Barber

B S0145-06 Rob Barber

B S0145-07 Rob Barber

C S0145-08 Rob Barber

C S0145-09 Rob Barber

C S0145-10 Rob Barber

B S0145-11 Rob Barber

Price level A Icon $90 Spot $150 ¼ page $195 Price level B Icon $125 Spot $190 ¼ page $250
Price level C Icon $160 Spot $240 ¼ page $315 Price level D Icon $230 Spot $320 ¼ page $420

B S0692-01 Bru Associates

B S0692-02 Bru Associates

B S0692-03 Bru Associates

B S0692-04 Bru Associates

B S0692-05 Bru Associates

B S0692-06 Bru Associates

B S0692-07 Bru Associates

C S0692-20 Bru Associates

B S0692-09 Bru Associates

B S0692-10 Bru Associates

B S0692-11 Bru Associates

B S0692-12 Bru Associates

C S0692-19 Bru Associates

B S0692-14 Bru Associates

B S0692-15 Bru Associates

B S0692-16 Bru Associates

C S0692-17 Bru Associates

C S0692-18 Bru Associates

B S0692-13 Bru Associates

B S0692-08 Bru Associates

B S1412-01 Barbara Murray

B S1412-02 Barbara Murray

B S1412-03 Barbara Murray

B S1412-04 Barbara Murray

B S1412-05 Barbara Murray

B S1412-06 Barbara Murray

B S1412-07 Barbara Murray

B S1412-08 Barbara Murray

B S1412-09 Barbara Murray

B S1412-10 Barbara Murray

B S1412-11 Barbara Murray

B S1412-12 Barbara Murray

B S1412-13 Barbara Murray

B S1412-14 Barbara Murray

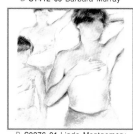
B S0376-01 Linda Montgomery

B S0376-09 Linda Montgomery

B S0376-02 Linda Montgomery

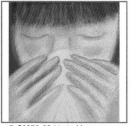
B S0376-04 Linda Montgomery

B S0376-05 Linda Montgomery

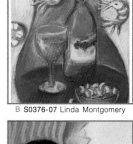
B S0376-06 Linda Montgomery

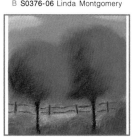
B S0376-07 Linda Montgomery

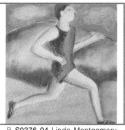
B S0376-08 Linda Montgomery

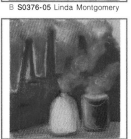
B S0376-10 Linda Montgomery

C S0376-11 Linda Montgomery

C S0376-12 Linda Montgomery

C S0376-13 Linda Montgomery

Price level A Icon $90 Spot $150 ¼ page $195 Price level B Icon $125 Spot $190 ¼ page $250
Price level C Icon $160 Spot $240 ¼ page $315 Price level D Icon $230 Spot $320 ¼ page $420
www.images.com

C S1456-08 Natalia Kapelyan

C S1456-03 Natalia Kapelyan | C S1456-04 Natalia Kapelyan | C S1456-07 Natalia Kapelyan | C S1456-06 Natalia Kapelyan

C S1456-09 Natalia Kapelyan | C S1456-10 Natalia Kapelyan | C S1456-05 Natalia Kapelyan | C S1456-02 Natalia Kapelyan

C S1456-01 Natalia Kapelyan | C S1019-01 Lael Henderson | C S1019-06 Lael Henderson | C S1019-03 Lael Henderson | C S1019-04 Lael Henderson | C S1019-05 Lael Henderson

     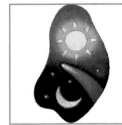

C S1019-07 Lael Henderson | C S1019-02 Lael Henderson | C S1019-08 Lael Henderson | C S1019-09 Lael Henderson | C S1019-10 Lael Henderson | C S1019-11 Lael Henderson

C S1019-12 Lael Henderson | C S1019-13 Lael Henderson | B S1440-01 Michael Irvin | B S1440-02 Michael Irvin | B S1440-03 Michael Irvin | B S1440-04 Michael Irvin

B S1440-05 Michael Irvin | B S1440-06 Michael Irvin | B S1440-07 Michael Irvin | B S1440-08 Michael Irvin | B S1440-09 Michael Irvin | B S1440-10 Michael Irvin

C S1358-01 Peter O Zierlein | C S1358-11 Peter O Zierlein | C S1358-03 Peter O Zierlein | C S1358-04 Peter O Zierlein | C S1358-05 Peter O Zierlein | C S1358-06 Peter O Zierlein

C S1358-09 Peter O Zierlein | C S1358-08 Peter O Zierlein | C S1358-02 Peter O Zierlein | C S1358-10 Peter O Zierlein | C S1358-07 Peter O Zierlein | C S1358-12 Peter O Zierlein

Price level A Icon $90 Spot $150 ¼ page $195 Price level B Icon $125 Spot $190 ¼ page $250
Price level C Icon $160 Spot $240 ¼ page $315 Price level D Icon $230 Spot $320 ¼ page $420

C S0739-21 Rex Bohn

B S0739-03 Rex Bohn

C S0739-28 Rex Bohn

B S0739-05 Rex Bohn

B S0739-06 Rex Bohn

B S0739-08 Rex Bohn

B S0739-07 Rex Bohn

B S0739-29 Rex Bohn

B S0739-12 Rex Bohn

C S0739-22 Rex Bohn

B S0739-14 Rex Bohn

C S0739-34 Rex Bohn

B S0739-38 Rex Bohn

B S0739-15 Rex Bohn

B S0739-18 Rex Bohn

A S0739-19 Rex Bohn

C S0739-26 Rex Bohn

C S0739-02 Rex Bohn

C S0739-24 Rex Bohn

C S0739-31 Rex Bohn

B S0739-11 Rex Bohn

C S0739-27 Rex Bohn

C S0739-30 Rex Bohn

B S0739-16 Rex Bohn

B S0739-04 Rex Bohn

C S0739-32 Rex Bohn

C S0739-33 Rex Bohn

C S0739-36 Rex Bohn

B S0739-01 Rex Bohn

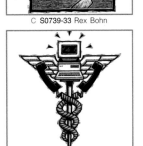

B S0739-39 Rex Bohn

C S0739-35 Rex Bohn

A S0739-20 Rex Bohn

B S0739-17 Rex Bohn

B S0739-10 Rex Bohn

C S0739-37 Rex Bohn

B S0739-13 Rex Bohn

C S0739-23 Rex Bohn

C S0739-25 Rex Bohn

C S0739-09 Rex Bohn

Price level A Icon $90 Spot $150 ¼ page $195 Price level B Icon $125 Spot $190 ¼ page $250
Price level C Icon $160 Spot $240 ¼ page $315 Price level D Icon $230 Spot $320 ¼ page $420

www.images.com   99

C S0685-46 John S. Dykes

C S0685-01 John S. Dykes

B S0685-03 John S. Dykes

C S0685-50 John S. Dykes

C S0685-19 John S. Dykes

B S0685-08 John S. Dykes

C S0685-28 John S. Dykes

B S0685-10 John S. Dykes

B S0685-11 John S. Dykes

C S0685-12 John S. Dykes

C S0685-44 John S. Dykes

C S0685-14 John S. Dykes

C S0685-36 John S. Dykes

C S0685-39 John S. Dykes

C S0685-17 John S. Dykes

C S0685-15 John S. Dykes

B S0685-04 John S. Dykes

C S0685-47 John S. Dykes

C S0685-23 John S. Dykes

C S0685-24 John S. Dykes

C S0685-25 John S. Dykes

C S0685-26 John S. Dykes

C S0685-02 John S. Dykes

C S0685-29 John S. Dykes

C S0685-30 John S. Dykes

C S0685-31 John S. Dykes

C S0685-48 John S. Dykes

C S0685-35 John S. Dykes

C S0685-34 John S. Dykes

B S0685-05 John S. Dykes

C S0685-37 John S. Dykes

C S0685-38 John S. Dykes

C S0685-32 John S. Dykes

B S0685-06 John S. Dykes

C S0685-27 John S. Dykes

C S0685-42 John S. Dykes

C S0685-43 John S. Dykes

C S0685-22 John S. Dykes

C S0685-40 John S. Dykes

C S0685-13 John S. Dykes

C S0685-18 John S. Dykes

Price level A Icon $90 Spot $150 ¼ page $195 Price level B Icon $125 Spot $190 ¼ page $250
Price level C Icon $160 Spot $240 ¼ page $315 Price level D Icon $230 Spot $320 ¼ page $420

C S0685-41 John S. Dykes

C S0685-49 John S. Dykes

B S0685-51 John S. Dykes

B S0685-52 John S. Dykes

C S0685-21 John S. Dykes

B S0685-09 John S. Dykes

C S0685-45 John S. Dykes

C S0685-20 John S. Dykes

B S0685-07 John S. Dykes

C S0685-16 John S. Dykes

C S1345-10 Elaine A. Cardella

C S1345-02 Elaine A. Cardella

C S1345-03 Elaine A. Cardella

C S1345-04 Elaine A. Cardella

C S1345-05 Elaine A. Cardella

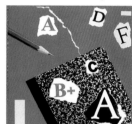
C S1345-06 Elaine A. Cardella

C S1345-08 Elaine A. Cardella

C S1345-09 Elaine A. Cardella

C S1345-07 Elaine A. Cardella

C S1345-01 Elaine A. Cardella

C S0700-01 Andrea Baruffi

C S0700-02 Andrea Baruffi

B S0700-03 Andrea Baruffi

C S0700-04 Andrea Baruffi

C S0700-05 Andrea Baruffi

C S0700-06 Andrea Baruffi

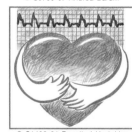
B S0700-07 Andrea Baruffi

C S0700-08 Andrea Baruffi

C S0700-09 Andrea Baruffi

C S0700-11 Andrea Baruffi

C S0700-10 Andrea Baruffi

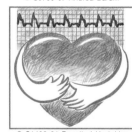
C S1402-01 Rosalind Hodgkins

C S1402-02 Rosalind Hodgkins

C S1402-03 Rosalind Hodgkins

B S1402-04 Rosalind Hodgkins

C S1402-05 Rosalind Hodgkins

B S1402-06 Rosalind Hodgkins

C S1402-07 Rosalind Hodgkins

C S1402-08 Rosalind Hodgkins

B S1402-09 Rosalind Hodgkins

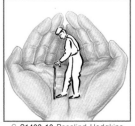
C S1402-10 Rosalind Hodgkins

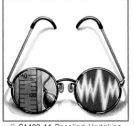
B S1402-11 Rosalind Hodgkins

C S1402-12 Rosalind Hodgkins

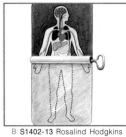
B S1402-13 Rosalind Hodgkins

Price level A Icon $90 Spot $150 ¼ page $195 Price level B Icon $125 Spot $190 ¼ page $250
Price level C Icon $160 Spot $240 ¼ page $315 Price level D Icon $230 Spot $320 ¼ page $420

www.images.com

C S0799-07 Mark Weber

C S0799-03 Mark Weber

C S0799-09 Mark Weber

C S0799-04 Mark Weber

C S0799-10 Mark Weber

C S0799-06 Mark Weber

C S0799-08 Mark Weber

C S0799-05 Mark Weber

C S0799-02 Mark Weber

C S0799-01 Mark Weber

C S1365-05 Marina

C S1365-02 Marina

C S1365-03 Marina

C S1365-04 Marina

C S1365-06 Marina

C S1365-01 Marina

C S1365-08 Marina

C S1365-09 Marina

C S1365-07 Marina

C S1365-10 Marina

C S0544-01 Benton Mahan

C S0544-02 Benton Mahan

C S0544-03 Benton Mahan

C S0544-04 Benton Mahan

C S0544-05 Benton Mahan

C S0544-06 Benton Mahan

C S0544-07 Benton Mahan

B S0544-08 Benton Mahan

C S0544-14 Benton Mahan

C S0544-10 Benton Mahan

C S0544-11 Benton Mahan

C S0544-12 Benton Mahan

C S0544-13 Benton Mahan

C S0544-09 Benton Mahan

Price level A Icon $90 Spot $150 ¼ page $195 Price level B Icon $125 Spot $190 ¼ page $250
Price level C Icon $160 Spot $240 ¼ page $315 Price level D Icon $230 Spot $320 ¼ page $420

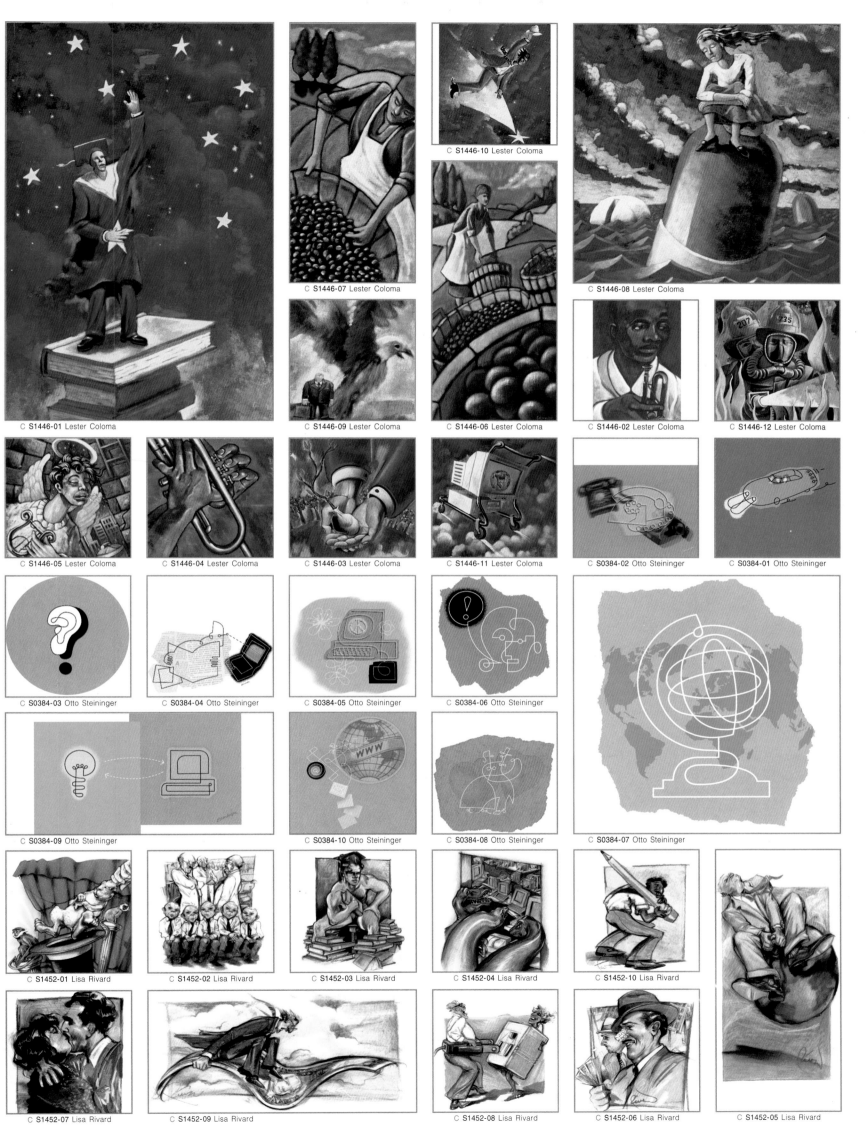

C S1446-01 Lester Coloma

C S1446-07 Lester Coloma

C S1446-09 Lester Coloma

C S1446-10 Lester Coloma

C S1446-06 Lester Coloma

C S1446-08 Lester Coloma

C S1446-02 Lester Coloma

C S1446-12 Lester Coloma

C S1446-05 Lester Coloma

C S1446-04 Lester Coloma

C S1446-03 Lester Coloma

C S1446-11 Lester Coloma

C S0384-02 Otto Steininger

C S0384-01 Otto Steininger

C S0384-03 Otto Steininger

C S0384-04 Otto Steininger

C S0384-05 Otto Steininger

C S0384-06 Otto Steininger

C S0384-09 Otto Steininger

C S0384-10 Otto Steininger

C S0384-08 Otto Steininger

C S0384-07 Otto Steininger

C S1452-01 Lisa Rivard

C S1452-02 Lisa Rivard

C S1452-03 Lisa Rivard

C S1452-04 Lisa Rivard

C S1452-10 Lisa Rivard

C S1452-07 Lisa Rivard

C S1452-09 Lisa Rivard

C S1452-08 Lisa Rivard

C S1452-06 Lisa Rivard

C S1452-05 Lisa Rivard

Price level A Icon $90 Spot $150 ¼ page $195 Price level B Icon $125 Spot $190 ¼ page $250
Price level C Icon $160 Spot $240 ¼ page $315 Price level D Icon $230 Spot $320 ¼ page $420

www.images.com 103

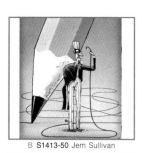 B S1413-50 Jem Sullivan
 B S1413-55 Jem Sullivan
 B S1413-03 Jem Sullivan
 B S1413-01 Jem Sullivan
 B S1413-33 Jem Sullivan
 B S1413-06 Jem Sullivan

 B S1413-07 Jem Sullivan
 B S1413-08 Jem Sullivan
 B S1413-09 Jem Sullivan
 B S1413-10 Jem Sullivan
 C S1413-11 Jem Sullivan
 B S1413-12 Jem Sullivan

 B S1413-13 Jem Sullivan
 B S1413-20 Jem Sullivan
 B S1413-15 Jem Sullivan
 B S1413-16 Jem Sullivan
 B S1413-64 Jem Sullivan
 B S1413-18 Jem Sullivan

 B S1413-19 Jem Sullivan
 B S1413-25 Jem Sullivan
 B S1413-44 Jem Sullivan
 B S1413-22 Jem Sullivan
 B S1413-23 Jem Sullivan
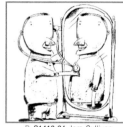 B S1413-24 Jem Sullivan

 B S1413-57 Jem Sullivan
 B S1413-27 Jem Sullivan
 B S1413-28 Jem Sullivan
 B S1413-29 Jem Sullivan
 B S1413-30 Jem Sullivan

 B S1413-05 Jem Sullivan
 B S1413-31 Jem Sullivan
 B S1413-32 Jem Sullivan
 B S1413-02 Jem Sullivan
 B S1413-34 Jem Sullivan
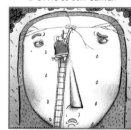 B S1413-35 Jem Sullivan

 B S1413-36 Jem Sullivan
 B S1413-04 Jem Sullivan
 B S1413-21 Jem Sullivan
 B S1413-39 Jem Sullivan
 B S1413-40 Jem Sullivan
 B S1413-41 Jem Sullivan

 B S1413-42 Jem Sullivan
 B S1413-43 Jem Sullivan
 B S1413-63 Jem Sullivan
 B S1413-45 Jem Sullivan
 B S1413-46 Jem Sullivan
 B S1413-47 Jem Sullivan

Price level A Icon $90 Spot $150 ¼ page $195 Price level B Icon $125 Spot $190 ¼ page $250
Price level C Icon $160 Spot $240 ¼ page $315 Price level D Icon $230 Spot $320 ¼ page $420

 B S1413-51 Jem Sullivan |  B S1413-49 Jem Sullivan |  B S1413-52 Jem Sullivan |  C S1413-58 Jem Sullivan |  B S1413-48 Jem Sullivan |  B S1413-53 Jem Sullivan

 B S1413-54 Jem Sullivan |  B S1413-26 Jem Sullivan |  B S1413-56 Jem Sullivan |  C S1413-14 Jem Sullivan | B S1413-59 Jem Sullivan

 B S1413-60 Jem Sullivan |  B S1413-61 Jem Sullivan | B S1413-62 Jem Sullivan |  B S1413-65 Jem Sullivan

 C S1413-66 Jem Sullivan | B S1413-67 Jem Sullivan |  B S1413-68 Jem Sullivan |  B S1413-69 Jem Sullivan |  B S1413-70 Jem Sullivan |  B S1413-71 Jem Sullivan

B S1413-72 Jem Sullivan |  B S1413-73 Jem Sullivan |  B S1413-74 Jem Sullivan | 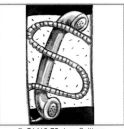 B S1413-75 Jem Sullivan |  B S1413-76 Jem Sullivan |  B S1413-77 Jem Sullivan

 B S1413-78 Jem Sullivan |  B S1413-17 Jem Sullivan |  B S1413-80 Jem Sullivan |  B S1413-81 Jem Sullivan |  B S1413-82 Jem Sullivan |  B S1413-37 Jem Sullivan

 B S1413-38 Jem Sullivan |  B S1413-79 Jem Sullivan |  B S1031-01 Kristen Miller |  B S1031-02 Kristen Miller |  B S1031-03 Kristen Miller |  B S1031-04 Kristen Miller

 B S1031-05 Kristen Miller |  B S1031-06 Kristen Miller | 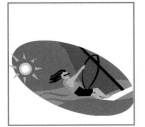 B S1031-10 Kristen Miller |  B S1031-09 Kristen Miller |  B S1031-07 Kristen Miller |  B S1031-08 Kristen Miller

Price level A Icon $90 Spot $150 ¼ page $195 Price level B Icon $125 Spot $190 ¼ page $250
Price level C Icon $160 Spot $240 ¼ page $315 Price level D Icon $230 Spot $320 ¼ page $420

B S0536-01 Ruth Sofair Ketler

B S0536-02 Ruth Sofair Ketler

B S0536-03 Ruth Sofair Ketler

B S0536-04 Ruth Sofair Ketler

B S0536-05 Ruth Sofair Ketler

B S0536-06 Ruth Sofair Ketler

B S0536-07 Ruth Sofair Ketler

B S0536-30 Ruth Sofair Ketler

B S0536-09 Ruth Sofair Ketler

B S0536-39 Ruth Sofair Ketler

B S0536-11 Ruth Sofair Ketler

B S0536-11 Ruth Sofair Ketler

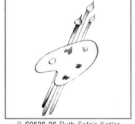
B S0536-12 Ruth Sofair Ketler

B S0536-13 Ruth Sofair Ketler

B S0536-14 Ruth Sofair Ketler

B S0536-15 Ruth Sofair Ketler

B S0536-16 Ruth Sofair Ketler

B S0536-17 Ruth Sofair Ketler

B S0536-36 Ruth Sofair Ketler

B S0536-20 Ruth Sofair Ketler

B S0536-19 Ruth Sofair Ketler

B S0536-38 Ruth Sofair Ketler

B S0536-22 Ruth Sofair Ketler

B S0536-23 Ruth Sofair Ketler

B S0536-24 Ruth Sofair Ketler

B S0536-25 Ruth Sofair Ketler

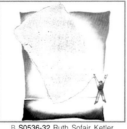
B S0536-26 Ruth Sofair Ketler

B S0536-27 Ruth Sofair Ketler

B S0536-28 Ruth Sofair Ketler

B S0536-29 Ruth Sofair Ketler

B S0536-10 Ruth Sofair Ketler

B S0536-31 Ruth Sofair Ketler

B S0536-32 Ruth Sofair Ketler

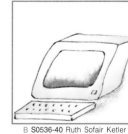
B S0536-34 Ruth Sofair Ketler

B S0536-35 Ruth Sofair Ketler

B S0536-18 Ruth Sofair Ketler

B S0536-37 Ruth Sofair Ketler

B S0536-08 Ruth Sofair Ketler

B S0536-33 Ruth Sofair Ketler

B S0536-21 Ruth Sofair Ketler

B S0536-40 Ruth Sofair Ketler

B S0536-41 Ruth Sofair Ketler

B S0536-42 Ruth Sofair Ketler

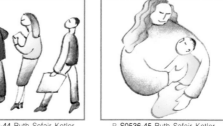
B S0536-43 Ruth Sofair Ketler

B S0536-44 Ruth Sofair Ketler

B S0536-45 Ruth Sofair Ketler

B S0536-46 Ruth Sofair Ketler

Price level A Icon $90 Spot $150 ¼ page $195 Price level B Icon $125 Spot $190 ¼ page $250
Price level C Icon $160 Spot $240 ¼ page $315 Price level D Icon $230 Spot $320 ¼ page $420

B S0536-47 Ruth Sofair Ketler

B S0536-48 Ruth Sofair Ketler

B S0536-49 Ruth Sofair Ketler

B S0536-50 Ruth Sofair Ketler

B S0536-51 Ruth Sofair Ketler

C S0536-52 Ruth Sofair Ketler

B S0536-53 Ruth Sofair Ketler

B S0536-54 Ruth Sofair Ketler

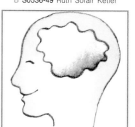
B S0536-55 Ruth Sofair Ketler

B S0536-56 Ruth Sofair Ketler

B S0536-57 Ruth Sofair Ketler

B S0536-58 Ruth Sofair Ketler

B S1450-01 Bill Fricke

B S1450-02 Bill Fricke

B S1450-03 Bill Fricke

B S1450-06 Bill Fricke

B S1450-07 Bill Fricke

B S1450-08 Bill Fricke

B S1450-09 Bill Fricke

B S1450-10 Bill Fricke

B S1450-05 Bill Fricke

B S1450-11 Bill Fricke

B S1450-12 Bill Fricke

B S1450-13 Bill Fricke

B S1450-14 Bill Fricke

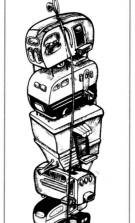
B S1450-15 Bill Fricke

A S1450-16 Bill Fricke

B S1450-17 Bill Fricke

B S1450-18 Bill Fricke

B S1450-04 Bill Fricke

B S1450-19 Bill Fricke

B S1450-20 Bill Fricke

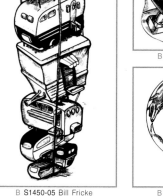
B S1450-21 Bill Fricke

B S1450-22 Bill Fricke

B S1450-23 Bill Fricke

B S1450-24 Bill Fricke

B S1450-25 Bill Fricke

B S1450-26 Bill Fricke

B S1450-27 Bill Fricke

A S1450-28 Bill Fricke

B S1450-29 Bill Fricke

B S1450-30 Bill Fricke

B S1450-31 Bill Fricke

B S1450-32 Bill Fricke

B S1450-33 Bill Fricke

Price level A Icon $90 Spot $150 ¼ page $195 Price level B Icon $125 Spot $190 ¼ page $250
Price level C Icon $160 Spot $240 ¼ page $315 Price level D Icon $230 Spot $320 ¼ page $420
www.images.com 107

 B S1401-01 Andrea Geller
 B S1401-02 Andrea Geller
 B S1401-03 Andrea Geller
 B S1401-04 Andrea Geller
 B S1401-05 Andrea Geller
 B S1401-06 Andrea Geller

 B S1401-07 Andrea Geller
 B S1401-08 Andrea Geller
 B S1401-09 Andrea Geller
 B S1401-10 Andrea Geller
 A S1401-11 Andrea Geller
 A S1401-12 Andrea Geller

 A S1401-13 Andrea Geller
 A S1401-14 Andrea Geller
 A S1401-15 Andrea Geller
 A S1401-16 Andrea Geller
 A S1401-17 Andrea Geller
 A S1401-18 Andrea Geller

 A S1401-19 Andrea Geller
 A S1401-20 Andrea Geller
 A S1401-21 Andrea Geller
 A S1401-22 Andrea Geller
 A S1401-23 Andrea Geller
 A S1401-24 Andrea Geller

 A S1401-25 Andrea Geller
 A S1401-26 Andrea Geller
 A S1401-27 Andrea Geller
 A S1401-28 Andrea Geller
 A S1401-29 Andrea Geller

 A S1401-30 Andrea Geller
 A S1401-31 Andrea Geller
 A S1401-32 Andrea Geller
 A S1401-33 Andrea Geller
 A S1401-34 Andrea Geller
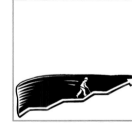 A S1401-35 Andrea Geller

 A S1401-36 Andrea Geller
 A S1401-37 Andrea Geller
 A S1401-39 Andrea Geller
 A S1401-40 Andrea Geller
 A S1401-41 Andrea Geller
 A S1401-42 Andrea Geller

 A S1401-43 Andrea Geller
 A S1401-44 Andrea Geller
 B S1401-45 Andrea Geller
 A S1401-46 Andrea Geller
 A S1401-48 Andrea Geller
 A S1401-49 Andrea Geller

Price level A Icon $90 Spot $150 ¼ page $195 Price level B Icon $125 Spot $190 ¼ page $250
Price level C Icon $160 Spot $240 ¼ page $315 Price level D Icon $230 Spot $320 ¼ page $420

A S1401-50 Andrea Geller

A S1401-51 Andrea Geller

A S1401-52 Andrea Geller

A S1401-53 Andrea Geller

A S1401-54 Andrea Geller

A S1401-55 Andrea Geller

A S1401-56 Andrea Geller

A S1401-57 Andrea Geller

A S1401-58 Andrea Geller

A S1401-59 Andrea Geller

A S1401-62 Andrea Geller

A S1401-63 Andrea Geller

A S1401-64 Andrea Geller

A S1401-65 Andrea Geller

A S1401-66 Andrea Geller

A S1401-67 Andrea Geller

A S1401-68 Andrea Geller

A S1401-69 Andrea Geller

A S1401-70 Andrea Geller

A S1401-71 Andrea Geller

A S1401-72 Andrea Geller

A S1401-73 Andrea Geller

A S1401-74 Andrea Geller

A S1401-75 Andrea Geller

A S1401-76 Andrea Geller

A S1401-77 Andrea Geller

A S1401-78 Andrea Geller

A S1401-79 Andrea Geller

C S1401-80 Andrea Geller

A S1401-81 Andrea Geller

A S1401-82 Andrea Geller

A S1401-83 Andrea Geller

A S1401-84 Andrea Geller

C S1401-85 Andrea Geller

A S1401-86 Andrea Geller

A S1401-87 Andrea Geller

A S1401-88 Andrea Geller

A S1401-89 Andrea Geller

A S1401-90 Andrea Geller

A S1401-91 Andrea Geller

A S1401-92 Andrea Geller

A S1401-93 Andrea Geller

A S1401-94 Andrea Geller

A S1401-95 Andrea Geller

A S1401-96 Andrea Geller

Price level A Icon $90 Spot $150 ¼ page $195 Price level B Icon $125 Spot $190 ¼ page $250
Price level C Icon $160 Spot $240 ¼ page $315 Price level D Icon $230 Spot $320 ¼ page $420
www.images.com 109

C S0731-02 Stephen F. Hayes

C S0731-03 Stephen F. Hayes

C S0731-06 Stephen F. Hayes

C S0731-05 Stephen F. Hayes

C S0731-08 Stephen F. Hayes

C S0731-09 Stephen F. Hayes

C S0731-18 Stephen F. Hayes

C S0731-11 Stephen F. Hayes

C S0731-12 Stephen F. Hayes

C S0731-13 Stephen F. Hayes

C S0731-14 Stephen F. Hayes

C S0731-15 Stephen F. Hayes

C S0731-16 Stephen F. Hayes

C S0731-07 Stephen F. Hayes

C S0731-19 Stephen F. Hayes

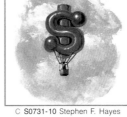

C S0731-10 Stephen F. Hayes

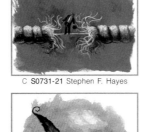

C S0731-21 Stephen F. Hayes

C S0731-17 Stephen F. Hayes

C S0731-01 Stephen F. Hayes

C S0731-20 Stephen F. Hayes

C S0731-04 Stephen F. Hayes

B S0714-01 Lisa Manning

B S0714-02 Lisa Manning

B S0714-03 Lisa Manning

B S0714-04 Lisa Manning

B S0714-05 Lisa Manning

B S0714-06 Lisa Manning

B S0714-07 Lisa Manning

B S0714-08 Lisa Manning

B S0714-09 Lisa Manning

B S0714-10 Lisa Manning

B S0714-11 Lisa Manning

B S0714-12 Lisa Manning

B S0714-13 Lisa Manning

B S0714-14 Lisa Manning

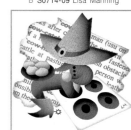

B S0714-15 Lisa Manning

B S0714-16 Lisa Manning

B S0714-17 Lisa Manning

B S0714-18 Lisa Manning

B S0714-19 Lisa Manning

B S0714-20 Lisa Manning

Price level A Icon $90 Spot $150 ¼ page $195 Price level B Icon $125 Spot $190 ¼ page $250
Price level C Icon $160 Spot $240 ¼ page $315 Price level D Icon $230 Spot $320 ¼ page $420

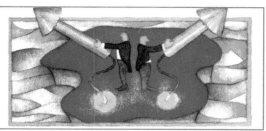
C S1406-08 Elsa Warnick

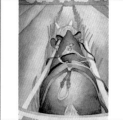
C S1406-27 Elsa Warnick

C S1406-04 Elsa Warnick

C S1406-24 Elsa Warnick

C S1406-06 Elsa Warnick

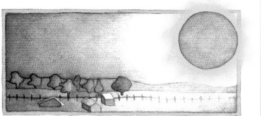
C S1406-07 Elsa Warnick

C S1406-23 Elsa Warnick

C S1406-28 Elsa Warnick

B S1406-05 Elsa Warnick

C S1406-09 Elsa Warnick

C S1406-11 Elsa Warnick

B S1406-22 Elsa Warnick

C S1406-18 Elsa Warnick

B S1406-14 Elsa Warnick

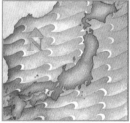
C S1406-15 Elsa Warnick

C S1406-19 Elsa Warnick

C S1406-17 Elsa Warnick

C S1406-03 Elsa Warnick

C S1406-20 Elsa Warnick

C S1406-10 Elsa Warnick

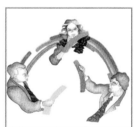
C S1406-13 Elsa Warnick

C S1406-01 Elsa Warnick

C S1406-25 Elsa Warnick

C S1406-26 Elsa Warnick

C S1406-02 Elsa Warnick

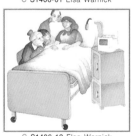
C S1406-12 Elsa Warnick

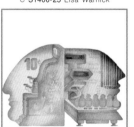
B S1406-21 Elsa Warnick

C S1406-16 Elsa Warnick

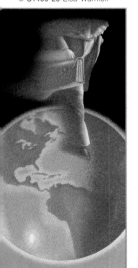

C S1073-02 John Sposato

C S1073-03 John Sposato

B S1073-09 John Sposato

C S1073-05 John Sposato

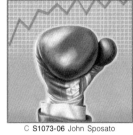
C S1073-06 John Sposato

C S1073-07 John Sposato

B S1073-08 John Sposato

C S1073-01 John Sposato

C S1073-10 John Sposato

C S1073-04 John Sposato

Price level A Icon $90 Spot $150 ¼ page $195 Price level B Icon $125 Spot $190 ¼ page $250
Price level C Icon $160 Spot $240 ¼ page $315 Price level D Icon $230 Spot $320 ¼ page $420

C S1415-13 Tom Herzberg
C S1415-55 Tom Herzberg
C S1415-54 Tom Herzberg
C S1415-51 Tom Herzberg
C S1415-63 Tom Herzberg
C S1415-04 Tom Herzberg

C S1415-05 Tom Herzberg
C S1415-52 Tom Herzberg
C S1415-06 Tom Herzberg
C S1415-10 Tom Herzberg
C S1415-01 Tom Herzberg
C S1415-56 Tom Herzberg

C S1415-53 Tom Herzberg
C S1415-60 Tom Herzberg
C S1415-61 Tom Herzberg
C S1415-11 Tom Herzberg
C S1415-59 Tom Herzberg
C S1415-62 Tom Herzberg

C S1415-02 Tom Herzberg
C S1415-57 Tom Herzberg
C S1415-07 Tom Herzberg
C S1415-03 Tom Herzberg
C S1415-12 Tom Herzberg
C S1415-58 Tom Herzberg

C S1415-50 Tom Herzberg
C S1415-49 Tom Herzberg
C S1415-08 Tom Herzberg
C S1415-09 Tom Herzberg

B S1415-66 Tom Herzberg
B S1415-65 Tom Herzberg
B S1415-29 Tom Herzberg
B S1415-35 Tom Herzberg
B S1415-45 Tom Herzberg
BS1415-28 Tom Herzberg

B S1415-36 Tom Herzberg
B S1415-41 Tom Herzberg
B S1415-16 Tom Herzberg
B S1415-48 Tom Herzberg
B S1415-32 Tom Herzberg
BS1415-64 Tom Herzberg

B S1415-46 Tom Herzberg
B S1415-40 Tom Herzberg
B S1415-39 Tom Herzberg
B S1415-19 Tom Herzberg
B S1415-24 Tom Herzberg
B S1415-31 Tom Herzberg

Price level A Icon $90   Spot $150   ¼ page $195   Price level B Icon $125   Spot $190   ¼ page $250
Price level C Icon $160   Spot $240   ¼ page $315   Price level D Icon $230   Spot $320   ¼ page $420

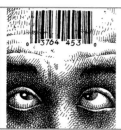
B S1415-67 Tom Herzberg

B S1415-68 Tom Herzberg

B S1415-44 Tom Herzberg

B S1415-27 Tom Herzberg

B S1415-42 Tom Herzberg

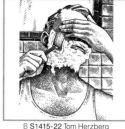
B S1415-22 Tom Herzberg

B S1415-23 Tom Herzberg

B S1415-25 Tom Herzberg

B S1415-26 Tom Herzberg

B S1415-43 Tom Herzberg

B S1415-21 Tom Herzberg

B S1415-15 Tom Herzberg

B S1415-17 Tom Herzberg

B S1415-47 Tom Herzberg

B S1415-30 Tom Herzberg

B S1415-18 Tom Herzberg

B S1415-14 Tom Herzberg

B S1415-38 Tom Herzberg

B S1415-37 Tom Herzberg

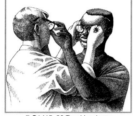
B S1415-33 Tom Herzberg

B S1415-20 Tom Herzberg

B S1415-34 Tom Herzberg

C S1426-01 Raymond Medici

C S1426-02 Raymond Medici

C S1426-03 Raymond Medici

C S1426-04 Raymond Medici

C S1426-05 Raymond Medici

C S1426-06 Raymond Medici

C S1426-07 Raymond Medici

C S1426-08 Raymond Medici

C S1426-09 Raymond Medici

C S1426-10 Raymond Medici

C S1426-11 Raymond Medici

C S1426-12 Raymond Medici

C S1426-13 Raymond Medici

C S1426-14 Raymond Medici

C S1426-15 Raymond Medici

C S1426-16 Raymond Medici

C S1426-17 Raymond Medici

C S1426-18 Raymond Medici

C S1426-19 Raymond Medici

C S1426-20 Raymond Medici

C S1426-21 Raymond Medici

C S1426-22 Raymond Medici

C S1426-23 Raymond Medici

C S1426-24 Raymond Medici

C S1426-25 Raymond Medici

Price level A Icon $90 Spot $150 ¼ page $195 Price level B Icon $125 Spot $190 ¼ page $250
Price level C Icon $160 Spot $240 ¼ page $315 Price level D Icon $230 Spot $320 ¼ page $420
www.images.com 113

C S0437- 01 Jacqui Morgan

C S0437- 02 Jacqui Morgan

C S0437- 04 Jacqui Morgan

C S0437- 05 Jacqui Morgan

C S0437- 06 Jacqui Morgan

C S0437- 07 Jacqui Morgan

C S0437- 08 Jacqui Morgan

C S0437- 09 Jacqui Morgan

C S0437- 10 Jacqui Morgan

C S0437- 11 Jacqui Morgan

C S0437- 12 Jacqui Morgan

C S0437- 13 Jacqui Morgan

C S0437- 14 Jacqui Morgan

C S0437- 17 Jacqui Morgan

C S0437- 18 Jacqui Morgan

C S0437- 43 Jacqui Morgan

C S0437- 16 Jacqui Morgan

C S0437- 19 Jacqui Morgan

C S0437- 20 Jacqui Morgan

C S0437- 21 Jacqui Morgan

C S0437- 22 Jacqui Morgan

C S0437- 23 Jacqui Morgan

C S0437- 24 Jacqui Morgan

C S0437- 25 Jacqui Morgan

C S0437- 26 Jacqui Morgan

C S0437- 27 Jacqui Morgan

C S0437- 30 Jacqui Morgan

C S0437- 31 Jacqui Morgan

C S0437- 34 Jacqui Morgan

C S0437- 35 Jacqui Morgan

C S0437- 36 Jacqui Morgan

C S0437- 37 Jacqui Morgan

C S0437- 40 Jacqui Morgan

C S0437- 41 Jacqui Morgan

C S0437- 45 Jacqui Morgan

C S0437- 50 Jacqui Morgan

C S0437- 15 Jacqui Morgan

C S0437- 28 Jacqui Morgan

C S0437- 33 Jacqui Morgan

C S0437- 32 Jacqui Morgan

C S0437- 38 Jacqui Morgan

C S0437- 39 Jacqui Morgan

C S0437- 46 Jacqui Morgan

C S0437- 47 Jacqui Morgan

C S0437- 29 Jacqui Morgan

Price level A Icon $90 Spot $150 ¼ page $195 Price level B Icon $125 Spot $190 ¼ page $250
Price level C Icon $160 Spot $240 ¼ page $315 Price level D Icon $230 Spot $320 ¼ page $420

 C S0437-49 Jacqui Morgan

 C S0437-03 Jacqui Morgan

 C S0437-44 Jacqui Morgan

 C S0437-48 Jacqui Morgan

 C S0437-42 Jacqui Morgan

 C S1457-01 Linda Naiman

 C S1457-02 Linda Naiman

 C S1457-03 Linda Naiman

 C S1457-04 Linda Naiman

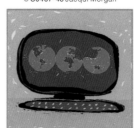 C S1457-05 Linda Naiman

 C S1457-06 Linda Naiman

 C S1457-07 Linda Naiman

 C S1457-08 Linda Naiman

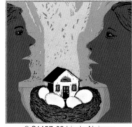 C S1457-09 Linda Naiman

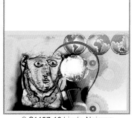 C S1457-10 Linda Naiman

 C S1457-11 Linda Naiman

 C S1457-12 Linda Naiman

 C S1457-13 Linda Naiman

 C S1457-14 Linda Naiman

 C S1457-16 Linda Naiman

 C S1457-17 Linda Naiman

 C S1457-18 Linda Naiman

 C S1457-15 Linda Naiman

 C S1457-19 Linda Naiman

 C S1457-20 Linda Naiman

 C S1457-21 Linda Naiman

 C S1457-22 Linda Naiman

 C S1457-23 Linda Naiman

 C S0805-01 Neal Aspinall

 C S0805-02 Neal Aspinall

 C S0805-03 Neal Aspinall

 C S0805-04 Neal Aspinall

C S0805-06 Neal Aspinall

 C S0805-07 Neal Aspinall

C S0805-08 Neal Aspinall

 C S0805-09 Neal Aspinall

 C S0805-11 Neal Aspinall

C S0805-12 Neal Aspinall

 C S0805-05 Neal Aspinall

 C S0805-13 Neal Aspinall

 C S0805-14 Neal Aspinall

 C S0805-10 Neal Aspinall

Price level A Icon $90 Spot $150 ¼ page $195 Price level B Icon $125 Spot $190 ¼ page $250
Price level C Icon $160 Spot $240 ¼ page $315 Price level D Icon $230 Spot $320 ¼ page $420

 C S1093-01 Mark Shaver

 C S1093-02 Mark Shaver

 C S1093-03 Mark Shaver

 C S1093-04 Mark Shaver

 C S1093-05 Mark Shaver

 C S1093-07 Mark Shaver

 C S1093-06 Mark Shaver

 C S1093-08 Mark Shaver

 C S1093-09 Mark Shaver

 C S1093-10 Mark Shaver

 C S1093-11 Mark Shaver

 C S1093-12 Mark Shaver

 C S1093-13 Mark Shaver

 C S1093-14 Mark Shaver

 C S1093-15 Mark Shaver

 C S1093-16 Mark Shaver

 C S1093-17 Mark Shaver

 C S1093-18 Mark Shaver

 C S1093-19 Mark Shaver

 C S1093-20 Mark Shaver

 C S1093-21 Mark Shaver

 C S1093-22 Mark Shaver

 C S1093-23 Mark Shaver

 C S1093-24 Mark Shaver

 C S1093-25 Mark Shaver

 C S1093-26 Mark Shaver

 C S1093-27 Mark Shaver

 C S1093-28 Mark Shaver

 C S1093-29 Mark Shaver

 C S1093-30 Mark Shaver

 C S1093-31 Mark Shaver

 C S1093-32 Mark Shaver

 C S1093-33 Mark Shaver

 C S1093-34 Mark Shaver

 C S1093-35 Mark Shaver

 C S1093-36 Mark Shaver

 C S1093-37 Mark Shaver

 C S1093-38 Mark Shaver

 C S1093-39 Mark Shaver

 C S1093-40 Mark Shaver

 C S1093-41 Mark Shaver

 C S1093-42 Mark Shaver

 C S1093-43 Mark Shaver

 C S1093-44 Mark Shaver

 C S1093-45 Mark Shaver

 C S1093-46 Mark Shaver

Price level A Icon $90 Spot $150 ¼ page $195 Price level B Icon $125 Spot $190 ¼ page $250
Price level C Icon $160 Spot $240 ¼ page $315 Price level D Icon $230 Spot $320 ¼ page $420

C S1093-47 Mark Shaver

C S1093-48 Mark Shaver

C S1093-49 Mark Shaver

C S1093-50 Mark Shaver

C S1093-51 Mark Shaver

C S1093-52 Mark Shaver

C S1093-53 Mark Shaver

C S1093-54 Mark Shaver

C S1093-55 Mark Shaver

C S1093-56 Mark Shaver

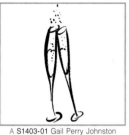
A S1403-01 Gail Perry Johnston

A S1403-02 Gail Perry Johnston

A S1403-03 Gail Perry Johnston

A S1403-04 Gail Perry Johnston

A S1403-05 Gail Perry Johnston

A S1403-06 Gail Perry Johnston

A S1403-07 Gail Perry Johnston

A S1403-08 Gail Perry Johnston

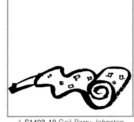
A S1403-09 Gail Perry Johnston

A S1403-10 Gail Perry Johnston

A S1403-11 Gail Perry Johnston

A S1403-12 Gail Perry Johnston

A S1403-13 Gail Perry Johnston

A S1403-14 Gail Perry Johnston

A S1403-15 Gail Perry Johnston

A S1403-16 Gail Perry Johnston

A S1403-17 Gail Perry Johnston

A S1403-18 Gail Perry Johnston

C S1000-15 Josef Gast

C S1000-03 Josef Gast

C S1000-04 Josef Gast

C S1000-05 Josef Gast

B S1000-14 Josef Gast

C S1000-09 Josef Gast

C S1000-10 Josef Gast

B S1000-11 Josef Gast

C S1000-08 Josef Gast

B S1000-13 Josef Gast

C S1000-02 Josef Gast

C S1000-07 Josef Gast

C S1000-06 Josef Gast

B S1000-12 Josef Gast

C S1000-01 Josef Gast

Price level A Icon $90 Spot $150 ¼ page $195 Price level B Icon $125 Spot $190 ¼ page $250
Price level C Icon $160 Spot $240 ¼ page $315 Price level D Icon $230 Spot $320 ¼ page $420

 B S1337- 01 Frank Renlie
 B S1337- 02 Frank Renlie
 B S1337- 03 Frank Renlie
 B S1337- 04 Frank Renlie
 B S1337- 05 Frank Renlie
 B S1337- 06 Frank Renlie

 B S1337- 07 Frank Renlie
 B S1337- 08 Frank Renlie
 B S1337- 09 Frank Renlie
 B S1337- 10 Frank Renlie
 B S1337- 11 Frank Renlie
 B S1337- 12 Frank Renlie

 B S1337- 13 Frank Renlie
 B S1337- 14 Frank Renlie
 B S1337- 15 Frank Renlie
 B S1337- 16 Frank Renlie
 B S1337- 17 Frank Renlie
 B S1337- 18 Frank Renlie

 B S1337- 19 Frank Renlie
 B S1337- 20 Frank Renlie
 B S1337- 21 Frank Renlie
 B S1337- 22 Frank Renlie
 B S1337- 23 Frank Renlie
 B S1337- 24 Frank Renlie

 C S1337- 25 Frank Renlie
 C S1337- 26 Frank Renlie
 B S1337- 27 Frank Renlie
 C S1337- 28 Frank Renlie
 B S1337- 29 Frank Renlie
 B S1337- 30 Frank Renlie

 B S1337- 31 Frank Renlie
 B S1337- 32 Frank Renlie
 B S1337- 33 Frank Renlie
 B S1337- 34 Frank Renlie
 B S1337- 35 Frank Renlie
 B S1337- 36 Frank Renlie

 B S1337- 37 Frank Renlie
 B S1337- 38 Frank Renlie
 B S1337- 39 Frank Renlie
 B S1337- 40 Frank Renlie
 B S1337- 41 Frank Renlie
 C S1337- 42 Frank Renlie

 B S1337- 43 Frank Renlie
 B S1337- 44 Frank Renlie
 B S1337- 45 Frank Renlie
 B S1337- 49 Frank Renlie
 B S1337- 47 Frank Renlie
 B S1337- 48 Frank Renlie

Price level A Icon $90 Spot $150 ¼ page $195 Price level B Icon $125 Spot $190 ¼ page $250
Price level C Icon $160 Spot $240 ¼ page $315 Price level D Icon $230 Spot $320 ¼ page $420

C S0928-02 Vasily Kafanov

C S0928-03 Vasily Kafanov

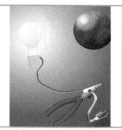
C S0928-04 Vasily Kafanov

C S0928-05 Vasily Kafanov

C S0928-06 Vasily Kafanov

C S0928-09 Vasily Kafanov

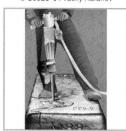
C S0928-10 Vasily Kafanov

C S0928-11 Vasily Kafanov

C S0928-13 Vasily Kafanov

C S0928-14 Vasily Kafanov

C S0928-22 Vasily Kafanov

C S0928-16 Vasily Kafanov

C S0928-17 Vasily Kafanov

C S0928-36 Vasily Kafanov

C S0928-19 Vasily Kafanov

C S0928-20 Vasily Kafanov

C S0928-39 Vasily Kafanov

C S0928-23 Vasily Kafanov

C S0928-12 Vasily Kafanov

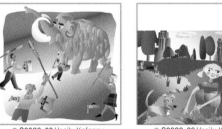
C S0928-08 Vasily Kafanov

C S0928-26 Vasily Kafanov

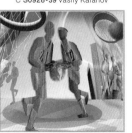
C S0928-31 Vasily Kafanov

C S0928-38 Vasily Kafanov

C S0928-29 Vasily Kafanov

C S0928-18 Vasily Kafanov

C S0928-28 Vasily Kafanov

C S0928-32 Vasily Kafanov

C S0928-33 Vasily Kafanov

C S0928-34 Vasily Kafanov

C S0928-35 Vasily Kafanov

C S0928-37 Vasily Kafanov

C S0928-24 Vasily Kafanov

C S0928-21 Vasily Kafanov

C S0928-27 Vasily Kafanov

C S0928-07 Vasily Kafanov

C S0928-30 Vasily Kafanov

C S0928-25 Vasily Kafanov

C S0928-01 Vasily Kafanov

C S0928-15 Vasily Kafanov

Price level A Icon $90 Spot $150 ¼ page $195 Price level B Icon $125 Spot $190 ¼ page $250
Price level C Icon $160 Spot $240 ¼ page $315 Price level D Icon $230 Spot $320 ¼ page $420

B S0221-01 David Garner

B S0221-02 David Garner

B S0221-03 David Garner

B S0221-28 David Garner

B S0221-06 David Garner

B S0221-07 David Garner

B S0221-08 David Garner

B S0221-09 David Garner

B S0221-10 David Garner

B S0221-11 David Garner

B S0221-12 David Garner

B S0221-13 David Garner

B S0221-15 David Garner

B S0221-16 David Garner

B S0221-17 David Garner

B S0221-18 David Garner

B S0221-19 David Garner

B S0221-20 David Garner

B S0221-21 David Garner

B S0221-22 David Garner

B S0221-23 David Garner

B S0221-24 David Garner

B S0221-25 David Garner

B S0221-26 David Garner

B S0221-27 David Garner

B S0221-04 David Garner

B S0221-49 David Garner

B S0221-29 David Garner

B S0221-30 David Garner

B S0221-31 David Garner

B S0221-51 David Garner

B S0221-33 David Garner

B S0221-34 David Garner

B S0221-35 David Garner

B S0221-46 David Garner

B S0221-37 David Garner

B S0221-39 David Garner

B S0221-36 David Garner

B S0221-41 David Garner

B S0221-42 David Garner

B S0221-43 David Garner

B S0221-44 David Garner

B S0221-45 David Garner

C S0221-47 David Garner

B S0221-48 David Garner

Price level A Icon $90 Spot $150 ¼ page $195 Price level B Icon $125 Spot $190 ¼ page $250
Price level C Icon $160 Spot $240 ¼ page $315 Price level D Icon $230 Spot $320 ¼ page $420

C S0221-70 David Garner

B S0221-38 David Garner

B S0221-64 David Garner

B S0221-52 David Garner

B S0221-53 David Garner

B S0221-57 David Garner

C S0221-54 David Garner

C S0221-55 David Garner

B S0221-58 David Garner

B S0221-56 David Garner

B S0221-60 David Garner

B S0221-61 David Garner

C S0221-63 David Garner

B S0221-32 David Garner

C S0221-65 David Garner

B S0221-66 David Garner

B S0221-67 David Garner

B S0221-69 David Garner

C S0221-68 David Garner

B S0221-50 David Garner

B S0221-71 David Garner

B S0566-02 Janet Atkinson

C S0566-03 Janet Atkinson

C S0566-04 Janet Atkinson

C S0566-05 Janet Atkinson

C S0566-06 Janet Atkinson

C S0566-07 Janet Atkinson

C S0566-08 Janet Atkinson

C S0566-09 Janet Atkinson

C S0566-10 Janet Atkinson

C S0566-11 Janet Atkinson

C S0566-12 Janet Atkinson

C S0566-13 Janet Atkinson

B S0566-14 Janet Atkinson

C S0566-15 Janet Atkinson

C S0566-16 Janet Atkinson

C S0566-17 Janet Atkinson

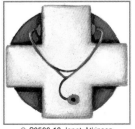

C S0566-18 Janet Atkinson

C S0566-19 Janet Atkinson

C S0566-20 Janet Atkinson

C S0566-21 Janet Atkinson

C S0566-01 Janet Atkinson

Price level A Icon $90 Spot $150 ¼ page $195 Price level B Icon $125 Spot $190 ¼ page $250
Price level C Icon $160 Spot $240 ¼ page $315 Price level D Icon $230 Spot $320 ¼ page $420

C S0812-35 Susan Ishige

B S0812-32 Susan Ishige

B S0812-04 Susan Ishige

B S0812-05 Susan Ishige

B S0812-30 Susan Ishige

B S0812-20 Susan Ishige

C S0812-38 Susan Ishige

B S0812-09 Susan Ishige

C S0812-37 Susan Ishige

B S0812-31 Susan Ishige

B S0812-14 Susan Ishige

B S0812-01 Susan Ishige

B S0812-23 Susan Ishige

B S0812-19 Susan Ishige

B S0812-33 Susan Ishige

B S0812-21 Susan Ishige

B S0812-22 Susan Ishige

B S0812-11 Susan Ishige

B S0812-25 Susan Ishige

B S0812-26 Susan Ishige

B S0812-28 Susan Ishige

B S0812-29 Susan Ishige

C S0812-34 Susan Ishige

B S0812-27 Susan Ishige

B S0812-02 Susan Ishige

C S1346-01 Greg Hargreaves

C S1346-09 Greg Hargreaves

C S1346-04 Greg Hargreaves

C S1346-08 Greg Hargreaves

C S1346-06 Greg Hargreaves

C S1346-07 Greg Hargreaves

Price level A Icon $90 Spot $150 ¼ page $195 Price level B Icon $125 Spot $190 ¼ page $250
Price level C Icon $160 Spot $240 ¼ page $315 Price level D Icon $230 Spot $320 ¼ page $420

C S1346-10 Greg Hargreaves

C S1346-03 Greg Hargreaves

C S1346-05 Greg Hargreaves

C S1346-02 Greg Hargreaves

B S0660-01 John Clarke

B S0660-05 John Clarke

C S0660-09 John Clarke

B S0660-06 John Clarke

B S0660-03 John Clarke

B S0660-10 John Clarke

B S0660-14 John Clarke

B S0660-08 John Clarke

C S0660-07 John Clarke

B S0660-11 John Clarke

B S0660-12 John Clarke

B S0660-15 John Clarke

B S0660-02 John Clarke

B S0660-04 John Clarke

B S0660-13 John Clarke

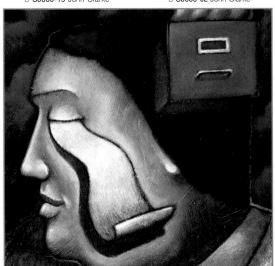
C S1087-06 Scott Bakal

C S1087-03 Scott Bakal

C S1087-05 Scott Bakal

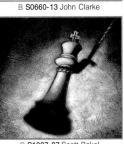
C S1087-07 Scott Bakal

C S1087-10 Scott Bakal

C S1087-01 Scott Bakal

C S1087-02 Scott Bakal

C S1087-04 Scott Bakal

C S1087-09 Scott Bakal

C S1087-08 Scott Bakal

Price level A Icon $90 Spot $150 ¼ page $195 Price level B Icon $125 Spot $190 ¼ page $250
Price level C Icon $160 Spot $240 ¼ page $315 Price level D Icon $230 Spot $320 ¼ page $420

www.images.com   123

 C S1405-40 Steven Golem
 C S1405-02 Steven Golem
 C S1405-03 Steven Golem
 C S1405-04 Steven Golem
 C S1405-15 Steven Golem

 C S1405-07 Steven Golem
 B S1405-09 Steven Golem
 C S1405-08 Steven Golem
 C S1405-10 Steven Golem
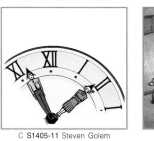 C S1405-11 Steven Golem
 C S1405-12 Steven Golem

 C S1405-13 Steven Golem
 C S1405-14 Steven Golem
 B S1405-30 Steven Golem

B S1405-16 Steven Golem
 B S1405-17 Steven Golem

 B S1405-23 Steven Golem
 C S1405-21 Steven Golem
 B S1405-01 Steven Golem
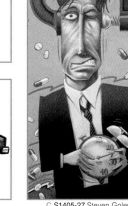 C S1405-27 Steven Golem
 B S1405-20 Steven Golem
 B S1405-22 Steven Golem

 C S1405-24 Steven Golem
 B S1405-44 Steven Golem
 B S1405-19 Steven Golem
 B S1405-06 Steven Golem
 C S1405-37 Steven Golem
 B S1405-28 Steven Golem

 C S1405-29 Steven Golem
 C S1405-26 Steven Golem
 B S1405-32 Steven Golem
 B S1405-42 Steven Golem
 C S1405-33 Steven Golem

 C S1405-34 Steven Golem
 B S1405-35 Steven Golem
 B S1405-36 Steven Golem
 C S1405-31 Steven Golem
 B S1405-38 Steven Golem
 C S1405-39 Steven Golem

 C S1405-05 Steven Golem
 B S1405-41 Steven Golem
 B S1405-18 Steven Golem
 B S1405-43 Steven Golem
 C S1405-25 Steven Golem
 B S1405-52 Steven Golem

Price level A Icon $90 Spot $150 ¼ page $195 Price level B Icon $125 Spot $190 ¼ page $250
Price level C Icon $160 Spot $240 ¼ page $315 Price level D Icon $230 Spot $320 ¼ page $420

B S1405-46 Steven Golem

B S1405-47 Steven Golem

B S1405-48 Steven Golem

B S1405-49 Steven Golem

B S1405-50 Steven Golem

B S1405-51 Steven Golem

A S1405-45 Steven Golem

B S1405-53 Steven Golem

B S1405-54 Steven Golem

B S1405-55 Steven Golem

B S1405-56 Steven Golem

B S1405-57 Steven Golem

B S1405-58 Steven Golem

C S0230-02 Alice Brickner

B S0230-21 Alice Brickner

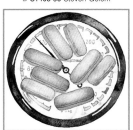
B S0230-10 Alice Brickner

C S0230-03 Alice Brickner

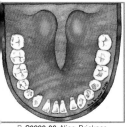
B S0230-06 Alice Brickner

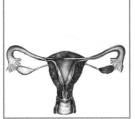
C S0230-07 Alice Brickner

C S0230-04 Alice Brickner

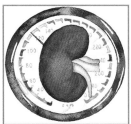
B S0230-08 Alice Brickner

C S0230-05 Alice Brickner

C S0230-11 Alice Brickner

B S0230-12 Alice Brickner

C S0230-25 Alice Brickner

C S0230-30 Alice Brickner

C S0230-15 Alice Brickner

C S0230-16 Alice Brickner

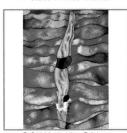
C S0230-17 Alice Brickner

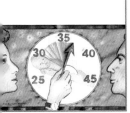
B S0230-12 Alice Brickner

C S0230-19 Alice Brickner

B S0230-13 Alice Brickner

C S0230-01 Alice Brickner

C S0230-23 Alice Brickner

C S0230-18 Alice Brickner

C S0230-24 Alice Brickner

C S0230-28 Alice Brickner

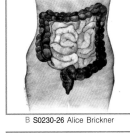
B S0230-26 Alice Brickner

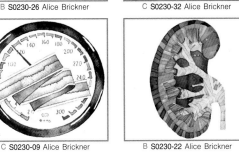
C S0230-32 Alice Brickner

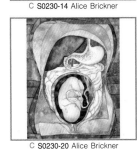
C S0230-14 Alice Brickner

C S0230-29 Alice Brickner

C S0230-31 Alice Brickner

C S0230-09 Alice Brickner

B S0230-22 Alice Brickner

C S0230-20 Alice Brickner

C S0230-27 Alice Brickner

Price level A Icon $90 Spot $150 ¼ page $195   Price level B Icon $125 Spot $190 ¼ page $250
Price level C Icon $160 Spot $240 ¼ page $315   Price level D Icon $230 Spot $320 ¼ page $420
www.images.com 125

C S1441-11 Tim Webb

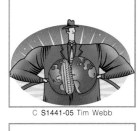

C S1441-05 Tim Webb

C S1441-15 Tim Webb

C S1441-06 Tim Webb

C S1441-07 Tim Webb

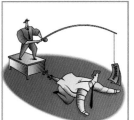

C S1441-10 Tim Webb

C S1441-01 Tim Webb

C S1441-12 Tim Webb

C S1441-13 Tim Webb

C S1441-14 Tim Webb

C S1441-20 Tim Webb

C S1441-04 Tim Webb

C S1441-17 Tim Webb

C S1441-19 Tim Webb

C S1441-21 Tim Webb

C S1441-22 Tim Webb

C S1441-16 Tim Webb

C S1441-18 Tim Webb

C S1441-08 Tim Webb

C S1441-03 Tim Webb

C S1441-09 Tim Webb

C S1441-23 Tim Webb

B S0036-01 Eileen Rosen

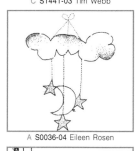

B S0036-03 Eileen Rosen

A S0036-04 Eileen Rosen

B S0036-05 Eileen Rosen

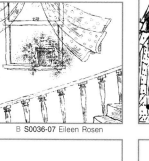

B S0036-06 Eileen Rosen

B S0036-07 Eileen Rosen

B S0036-02 Eileen Rosen

B S0036-09 Eileen Rosen

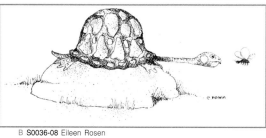

B S0036-10 Eileen Rosen

B S0036-08 Eileen Rosen

B S0036-11 Eileen Rosen

B S0036-12 Eileen Rosen

B S0036-15 Eileen Rosen

B S0036-16 Eileen Rosen

B S0036-17 Eileen Rosen

B S0036-18 Eileen Rosen

B S0036-13 Eileen Rosen

B S0036-14 Eileen Rosen

Price level A Icon $90 Spot $150 ¼ page $195 Price level B Icon $125 Spot $190 ¼ page $250
Price level C Icon $160 Spot $240 ¼ page $315 Price level D Icon $230 Spot $320 ¼ page $420

C S0304-08 Linda Bleck

C S0304-02 Linda Bleck

B S0304-03 Linda Bleck

C S0304-29 Linda Bleck

C S0304-05 Linda Bleck

C S0304-06 Linda Bleck

C S0304-31 Linda Bleck

C S0304-20 Linda Bleck

C S0304-01 Linda Bleck

C S0304-12 Linda Bleck

C S0304-09 Linda Bleck

C S0304-14 Linda Bleck

C S0304-21 Linda Bleck

C S0304-16 Linda Bleck

C S0304-17 Linda Bleck

C S0304-18 Linda Bleck

C S0304-19 Linda Bleck

C S0304-11 Linda Bleck

C S0304-26 Linda Bleck

C S0304-24 Linda Bleck

C S0304-04 Linda Bleck

C S0304-27 Linda Bleck

C S0304-22 Linda Bleck

C S0304-15 Linda Bleck

C S0304-23 Linda Bleck

C S0304-30 Linda Bleck

C S0304-10 Linda Bleck

C S0304-07 Linda Bleck

C S0304-28 Linda Bleck

C S0304-13 Linda Bleck

C S0304-25 Linda Bleck

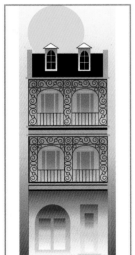
C S0192-04 Jeanne de la Houssaye

C S0192-02 Jeanne de la Houssaye

B S0192-03 Jeanne de la Houssaye

C S0192-01 Jeanne de la Houssaye

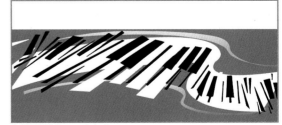
C S0192-05 Jeanne de la Houssaye

C S0192-06 Jeanne de la Houssaye

C S0192-07 Jeanne de la Houssaye

B S0192-09 Jeanne de la Houssaye

B S0192-10 Jeanne de la Houssaye

C S0192-08 Jeanne de la Houssaye

Price level A Icon $90 Spot $150 ¼ page $195 Price level B Icon $125 Spot $190 ¼ page $250
Price level C Icon $160 Spot $240 ¼ page $315 Price level D Icon $230 Spot $320 ¼ page $420
www.images.com 127

 C S0999-03 Andrea Eberbach
 C S0999-02 Andrea Eberbach
 C S0999-01 Andrea Eberbach
 C S0999-04 Andrea Eberbach
 C S0999-21 Andrea Eberbach
 C S0999-06 Andrea Eberbach

 C S0999-07 Andrea Eberbach
 C S0999-10 Andrea Eberbach
 C S0999-09 Andrea Eberbach
 C S0999-08 Andrea Eberbach
 C S0999-11 Andrea Eberbach
 C S0999-12 Andrea Eberbach

 C S0999-13 Andrea Eberbach
 C S0999-05 Andrea Eberbach
 C S0999-15 Andrea Eberbach
 C S0999-17 Andrea Eberbach
 C S0999-18 Andrea Eberbach

 C S0999-19 Andrea Eberbach

 C S0999-22 Andrea Eberbach
 C S0999-23 Andrea Eberbach
 C S0999-24 Andrea Eberbach

 C S0999-25 Andrea Eberbach
 C S0999-26 Andrea Eberbach
 C S0999-27 Andrea Eberbach
 C S0999-28 Andrea Eberbach
 C S0999-29 Andrea Eberbach
 C S0999-30 Andrea Eberbach

 C S0999-31 Andrea Eberbach
 C S0999-16 Andrea Eberbach
 C S0999-14 Andrea Eberbach
 C S0999-20 Andrea Eberbach
 C S0250-01 Chris Robertson

 C S0250-06 Chris Robertson
 C S0250-11 Chris Robertson
 C S0250-04 Chris Robertson
 C S0250-05 Chris Robertson
 C S0250-03 Chris Robertson

 C S0250-02 Chris Robertson
C S0250-07 Chris Robertson
 C S0250-08 Chris Robertson
C S0250-09 Chris Robertson
 C S0250-10 Chris Robertson

Price level A Icon $90 Spot $150 ¼ page $195 Price level B Icon $125 Spot $190 ¼ page $250
Price level C Icon $160 Spot $240 ¼ page $315 Price level D Icon $230 Spot $320 ¼ page $420

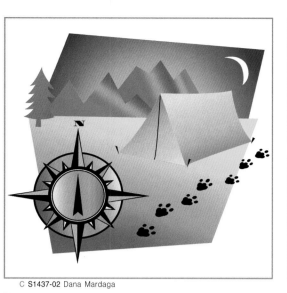

C S1437-02 Dana Mardaga

C S1437-04 Dana Mardaga

C S1437-05 Dana Mardaga

C S1437-06 Dana Mardaga

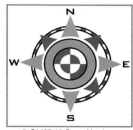

C S1437-07 Dana Mardaga

B S1437-13 Dana Mardaga

B S1437-10 Dana Mardaga

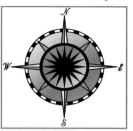

B S1437-11 Dana Mardaga

B S1437-12 Dana Mardaga

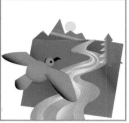

C S1437-24 Dana Mardaga

C S1437-01 Dana Mardaga

B S1437-08 Dana Mardaga

C S1437-16 Dana Mardaga

C S1437-14 Dana Mardaga

B S1437-03 Dana Mardaga

C S1437-19 Dana Mardaga

C S1437-20 Dana Mardaga

C S1437-21 Dana Mardaga

B S1437-15 Dana Mardaga

C S1437-09 Dana Mardaga

C S1437-25 Dana Mardaga

C S1437-26 Dana Mardaga

C S1437-27 Dana Mardaga

C S1437-28 Dana Mardaga

B S1437-29 Dana Mardaga

C S1437-23 Dana Mardaga

C S0305-06 Lyn Boyer Nelles

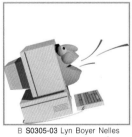

B S0305-03 Lyn Boyer Nelles

C S0305-04 Lyn Boyer Nelles

C S0305-05 Lyn Boyer Nelles

C S0305-08 Lyn Boyer Nelles

C S0305-13 Lyn Boyer Nelles

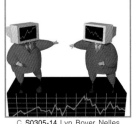

C S0305-14 Lyn Boyer Nelles

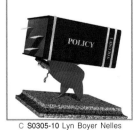

C S0305-10 Lyn Boyer Nelles

C S0305-12 Lyn Boyer Nelles

C S0305-11 Lyn Boyer Nelles

C S0305-09 Lyn Boyer Nelles

C S0305-15 Lyn Boyer Nelles

C S0305-02 Lyn Boyer Nelles

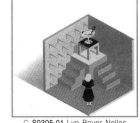

C S0305-01 Lyn Boyer Nelles

C S0305-07 Lyn Boyer Nelles

Price level A Icon $90 Spot $150 ¼ page $195 Price level B Icon $125 Spot $190 ¼ page $250
Price level C Icon $160 Spot $240 ¼ page $315 Price level D Icon $230 Spot $320 ¼ page $420

www.images.com

129

B S0373-27 George Thompson

B S0373-47 George Thompson

B S0373-49 George Thompson

B S0373-39 George Thompson

B S0373-40 George Thompson

B S0373-37 George Thompson

B S0373-45 George Thompson

B S0373-43 George Thompson

B S0373-46 George Thompson

B S0373-42 George Thompson

B S0373-48 George Thompson

B S0373-29 George Thompson

B S0373-35 George Thompson

B S0373-36 George Thompson

B S0373-41 George Thompson

B S0373-38 George Thompson

B S0373-44 George Thompson

B S0373-18 George Thompson

A S0373-17 George Thompson

A S0373-30 George Thompson

A S0373-31 George Thompson

B S0373-09 George Thompson

A S0373-10 George Thompson

A S0373-11 George Thompson

A S0373-12 George Thompson

A S0373-13 George Thompson

A S0373-14 George Thompson

A S0373-15 George Thompson

A S0373-16 George Thompson

A S0373-19 George Thompson

A S0373-20 George Thompson

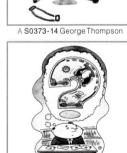

A S0373-21 George Thompson

B S0373-23 George Thompson

A S0373-24 George Thompson

A S0373-25 George Thompson

A S0373-26 George Thompson

A S0373-22 George Thompson

B S0373-28 George Thompson

B S0373-02 George Thompson

B S0373-32 George Thompson

B S0373-33 George Thompson

B S0373-34 George Thompson

Price level A Icon $90 Spot $150 ¼ page $195 Price level B Icon $125 Spot $190 ¼ page $250
Price level C Icon $160 Spot $240 ¼ page $315 Price level D Icon $230 Spot $320 ¼ page $420

A S0373-01 George Thompson

A S0373-04 George Thompson

A S0373-05 George Thompson

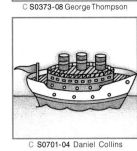
A S0373-06 George Thompson

C S0373-08 George Thompson

A S0373-07 George Thompson

C S0701-06 Daniel Collins

C S0701-01 Daniel Collins

C S0701-02 Daniel Collins

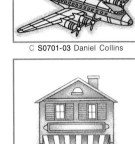
C S0701-03 Daniel Collins

C S0701-04 Daniel Collins

C S0701-17 Daniel Collins

C S0701-08 Daniel Collins

C S0701-09 Daniel Collins

C S0701-10 Daniel Collins

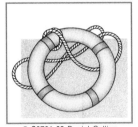
C S0701-11 Daniel Collins

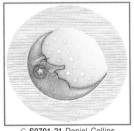
C S0701-13 Daniel Collins

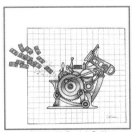
C S0701-14 Daniel Collins

C S0701-22 Daniel Collins

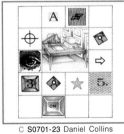
C S0701-20 Daniel Collins

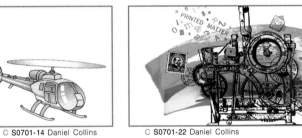
C S0701-26 Daniel Collins

C S0701-12 Daniel Collins

C S0701-24 Daniel Collins

C S0701-33 Daniel Collins

C S0701-18 Daniel Collins

C S0701-34 Daniel Collins

C S0701-35 Daniel Collins

C S0701-21 Daniel Collins

C S0701-28 Daniel Collins

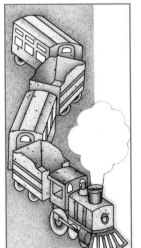
C S0701-23 Daniel Collins

C S0701-25 Daniel Collins

C S0701-27 Daniel Collins

C S0701-16 Daniel Collins

C S0701-29 Daniel Collins

C S0701-31 Daniel Collins

C S0701-30 Daniel Collins

A S0701-05 Daniel Collins

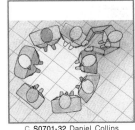
C S0701-32 Daniel Collins

C S0701-19 Daniel Collins

Price level A Icon $90 Spot $150 ¼ page $195 Price level B Icon $125 Spot $190 ¼ page $250
Price level C Icon $160 Spot $240 ¼ page $315 Price level D Icon $230 Spot $320 ¼ page $420

www.images.com 131

 C S0068-01 Laura L. Tedeschi
 C S0068-02 Laura L. Tedeschi
 C S0068-03 Laura L. Tedeschi
 C S0068-04 Laura L. Tedeschi
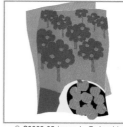 C S0068-05 Laura L. Tedeschi
 C S0068-06 Laura L. Tedeschi

 C S0068-07 Laura L. Tedeschi
 C S0068-08 Laura L. Tedeschi
 C S0068-09 Laura L. Tedeschi
 C S0068-10 Laura L. Tedeschi
 C S0068-11 Laura L. Tedeschi
 C S0068-12 Laura L. Tedeschi

 C S0068-13 Laura L. Tedeschi
 C S0068-14 Laura L. Tedeschi
 C S0068-15 Laura L. Tedeschi
 C S0068-16 Laura L. Tedeschi
 C S0068-17 Laura L. Tedeschi
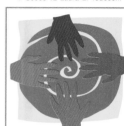 C S0068-18 Laura L. Tedeschi

 C S0068-19 Laura L. Tedeschi
 C S0068-20 Laura L. Tedeschi
 C S0068-21 Laura L. Tedeschi
 C S0068-22 Laura L. Tedeschi
 C S0068-23 Laura L. Tedeschi
 C S0068-24 Laura L. Tedeschi

 C S0068-25 Laura L. Tedeschi
 C S0068-26 Laura L. Tedeschi
 C S0068-27 Laura L. Tedeschi
 C S0068-28 Laura L. Tedeschi
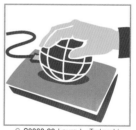 C S0068-29 Laura L. Tedeschi
 C S0068-30 Laura L. Tedeschi

 C S0068-31 Laura L. Tedeschi
 B S0875-01 Bryon Thompson
 A S0875-02 Bryon Thompson
 B S0875-03 Bryon Thompson
 B S0875-04 Bryon Thompson
 B S0875-05 Bryon Thompson

 B S0875-06 Bryon Thompson
 B S0875-07 Bryon Thompson
 B S0875-08 Bryon Thompson
 B S0875-09 Bryon Thompson
 B S0875-10 Bryon Thompson
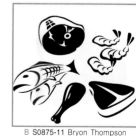 B S0875-11 Bryon Thompson

 A S0875-12 Bryon Thompson
 B S0875-13 Bryon Thompson
 B S0875-14 Bryon Thompson
 B S0875-15 Bryon Thompson
 B S0875-16 Bryon Thompson
 B S0875-17 Bryon Thompson

Price level A Icon $90 Spot $150 ¼ page $195   Price level B Icon $125 Spot $190 ¼ page $250
Price level C Icon $160 Spot $240 ¼ page $315   Price level D Icon $230 Spot $320 ¼ page $420

A S1451-01 John Margeson

B S1451-02 John Margeson

B S1451-03 John Margeson

B S1451-04 John Margeson

B S1451-05 John Margeson

B S1451-06 John Margeson

B S1451-07 John Margeson

A S1451-08 John Margeson

B S1451-09 John Margeson

A S1451-10 John Margeson

B S1451-11 John Margeson

B S1451-12 John Margeson

B S1451-13 John Margeson

B S1451-14 John Margeson

B S1451-15 John Margeson

A S1451-16 John Margeson

B S1451-17 John Margeson

B S1451-18 John Margeson

B S1451-19 John Margeson

B S1451-20 John Margeson

A S1451-21 John Margeson

B S1451-22 John Margeson

B S1451-23 John Margeson

B S1451-24 John Margeson

B S1451-25 John Margeson

B S1451-26 John Margeson

B S1451-27 John Margeson

B S1451-29 John Margeson

B S1451-30 John Margeson

B S1451-31 John Margeson

B S1451-32 John Margeson

B S1451-28 John Margeson

C S0528-07 Jon Weiman

B S0528-02 Jon Weiman

C S0528-05 Jon Weiman

B S0528-03 Jon Weiman

C S0528-06 Jon Weiman

B S0528-01 Jon Weiman

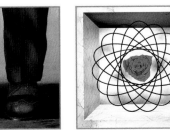

C S0528-09 Jon Weiman

C S0528-10 Jon Weiman

B S0528-04 Jon Weiman

C S0528-08 Jon Weiman

Price level A Icon $90 Spot $150 ¼ page $195   Price level B Icon $125 Spot $190 ¼ page $250
Price level C Icon $160 Spot $240 ¼ page $315   Price level D Icon $230 Spot $320 ¼ page $420

B S0071-08 Terry Sirrell

B S0071-03 Terry Sirrell

B S0071-02 Terry Sirrell

B S0071-16 Terry Sirrell

B S0071-05 Terry Sirrell

B S0071-06 Terry Sirrell

B S0071-17 Terry Sirrell

B S0071-07 Terry Sirrell

B S0071-09 Terry Sirrell

B S0071-10 Terry Sirrell

B S0071-11 Terry Sirrell

B S0071-12 Terry Sirrell

B S0071-13 Terry Sirrell

B S0071-14 Terry Sirrell

B S0071-15 Terry Sirrell

B S0071-01 Terry Sirrell

B S0071-04 Terry Sirrell

B S0071-18 Terry Sirrell

B S0071-19 Terry Sirrell

B S0071-20 Terry Sirrell

B S0071-21 Terry Sirrell

B S0071-22 Terry Sirrell

B S0071-23 Terry Sirrell

B S0071-24 Terry Sirrell

B S0071-25 Terry Sirrell

B S0071-26 Terry Sirrell

B S0071-27 Terry Sirrell

B S0071-28 Terry Sirrell

B S0071-29 Terry Sirrell

B S0071-30 Terry Sirrell

B S0071-31 Terry Sirrell

B S0071-32 Terry Sirrell

B S0071-33 Terry Sirrell

B S0071-34 Terry Sirrell

B S0071-35 Terry Sirrell

B S0071-36 Terry Sirrell

B S0071-37 Terry Sirrell

B S0071-38 Terry Sirrell

B S0071-39 Terry Sirrell

B S0071-40 Terry Sirrell

B S0071-41 Terry Sirrell

B S0071-42 Terry Sirrell

B S0071-43 Terry Sirrell

B S0071-44 Terry Sirrell

B S0071-45 Terry Sirrell

B S0071-46 Terry Sirrell

B S0071-47 Terry Sirrell

B S0071-49 Terry Sirrell

Price level A Icon $90 Spot $150 ¼ page $195 Price level B Icon $125 Spot $190 ¼ page $250
Price level C Icon $160 Spot $240 ¼ page $315 Price level D Icon $230 Spot $320 ¼ page $420

B S0393-36 Abe Gurvin

B S0393-03 Abe Gurvin

B S0393-04 Abe Gurvin

B S0393-05 Abe Gurvin

B S0393-06 Abe Gurvin

B S0393-07 Abe Gurvin

B S0393-08 Abe Gurvin

B S0393-09 Abe Gurvin

B S0393-10 Abe Gurvin

B S0393-11 Abe Gurvin

B S0393-12 Abe Gurvin

B S0393-13 Abe Gurvin

B S0393-39 Abe Gurvin

B S0393-15 Abe Gurvin

C S0393-22 Abe Gurvin

B S0393-18 Abe Gurvin

B S0393-19 Abe Gurvin

C S0393-25 Abe Gurvin

B S0393-30 Abe Gurvin

B S0393-17 Abe Gurvin

B S0393-23 Abe Gurvin

B S0393-16 Abe Gurvin

B S0393-27 Abe Gurvin

B S0393-28 Abe Gurvin

B S0393-29 Abe Gurvin

C S0393-26 Abe Gurvin

B S0393-24 Abe Gurvin

B S0393-32 Abe Gurvin

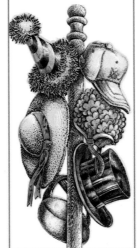
C S0393-33 Abe Gurvin

B S0393-35 Abe Gurvin

B S0393-37 Abe Gurvin

B S0393-21 Abe Gurvin

B S0393-20 Abe Gurvin

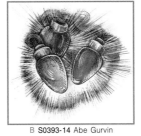
B S0393-14 Abe Gurvin

B S0393-31 Abe Gurvin

B S0393-01 Abe Gurvin

B S0393-38 Abe Gurvin

B S0393-02 Abe Gurvin

Price level A Icon $90 Spot $150 ¼ page $195 Price level B Icon $125 Spot $190 ¼ page $250
Price level C Icon $160 Spot $240 ¼ page $315 Price level D Icon $230 Spot $320 ¼ page $420

www.images.com   135

B S1416-01 Johanna Hantel

B S1416-03 Johanna Hantel

B S1416-02 Johanna Hantel

B S1416-04 Johanna Hantel

B S1416-05 Johanna Hantel

B S1416-06 Johanna Hantel

B S1416-07 Johanna Hantel

B S1416-08 Johanna Hantel

B S1416-09 Johanna Hantel

B S1416-10 Johanna Hantel

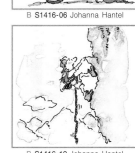

B S1416-11 Johanna Hantel

B S1416-12 Johanna Hantel

B S1416-13 Johanna Hantel

B S1416-14 Johanna Hantel

B S1416-15 Johanna Hantel

B S1416-16 Johanna Hantel

B S1416-17 Johanna Hantel

B S1416-18 Johanna Hantel

B S1416-19 Johanna Hantel

B S1416-20 Johanna Hantel

B S1416-21 Johanna Hantel

B S1416-22 Johanna Hantel

B S1416-23 Johanna Hantel

B S1416-24 Johanna Hantel

B S1416-25 Johanna Hantel

B S1416-26 Johanna Hantel

B S1416-27 Johanna Hantel

B S1416-28 Johanna Hantel

B S1416-29 Johanna Hantel

B S1416-30 Johanna Hantel

B S1416-31 Johanna Hantel

B S1416-32 Johanna Hantel

B S1416-34 Johanna Hantel

B S1416-35 Johanna Hantel

B S1416-36 Johanna Hantel

B S1416-37 Johanna Hantel

B S1416-38 Johanna Hantel

B S1416-39 Johanna Hantel

B S1416-40 Johanna Hantel

B S1416-41 Johanna Hantel

B S1416-42 Johanna Hantel

B S1416-43 Johanna Hantel

B S1416-44 Johanna Hantel

B S1416-46 Johanna Hantel

B S1416-47 Johanna Hantel

Price level A Icon $90 Spot $150 ¼ page $195 Price level B Icon $125 Spot $190 ¼ page $250
Price level C Icon $160 Spot $240 ¼ page $315 Price level D Icon $230 Spot $320 ¼ page $420

C S1416-45 Johanna Hantel

B S1416-50 Johanna Hantel

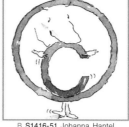
B S1416-51 Johanna Hantel

B S1416-52 Johanna Hantel

B S1416-53 Johanna Hantel

B S1416-49 Johanna Hantel

B S1416-48 Johanna Hantel

B S1416-54 Johanna Hantel

B S1416-33 Johanna Hantel

C S1453-02 Wendy L. Goldberg

C S1453-03 Wendy L. Goldberg

C S1453-09 Wendy L. Goldberg

C S1453-01 Wendy L. Goldberg

C S1453-06 Wendy L. Goldberg

C S1453-08 Wendy L. Goldberg

C S1453-14 Wendy L. Goldberg

C S1453-05 Wendy L. Goldberg

C S1453-17 Wendy L. Goldberg

C S1453-11 Wendy L. Goldberg

C S1453-16 Wendy L. Goldberg

C S1453-12 Wendy L. Goldberg

C S1453-10 Wendy L. Goldberg

C S1453-07 Wendy L. Goldberg

C S1453-13 Wendy L. Goldberg

C S1453-15 Wendy L. Goldberg

C S1453-04 Wendy L. Goldberg

C S1453-18 Wendy L. Goldberg

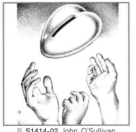
B S1414-01 John O'Sullivan

B S1414-02 John O'Sullivan

B S1414-03 John O'Sullivan

B S1414-04 John O'Sullivan

B S1414-05 John O'Sullivan

A S1414-06 John O'Sullivan

B S1414-07 John O'Sullivan

B S1414-08 John O'Sullivan

B S1414-09 John O'Sullivan

B S1414-10 John O'Sullivan

Price level A Icon $90 Spot $150 ¼ page $195 Price level B Icon $125 Spot $190 ¼ page $250
Price level C Icon $160 Spot $240 ¼ page $315 Price level D Icon $230 Spot $320 ¼ page $420

C S0078-49 Jane Marinsky

C S0078-02 Jane Marinsky

C S0078-26 Jane Marinsky

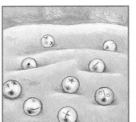

C S0078-14 Jane Marinsky

C S0078-05 Jane Marinsky

C S0078-39 Jane Marinsky

C S0078-07 Jane Marinsky

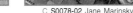

C S0078-08 Jane Marinsky

C S0078-09 Jane Marinsky

C S0078-10 Jane Marinsky

C S0078-11 Jane Marinsky

C S0078-12 Jane Marinsky

C S0078-13 Jane Marinsky

C S0078-34 Jane Marinsky

C S0078-15 Jane Marinsky

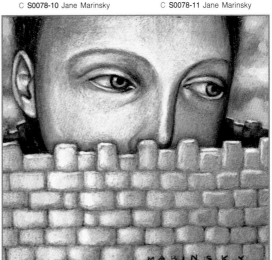

C S0078-06 Jane Marinsky

C S0078-18 Jane Marinsky

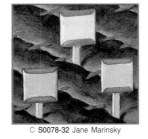

C S0078-19 Jane Marinsky

C S0078-32 Jane Marinsky

C S0078-21 Jane Marinsky

C S0078-24 Jane Marinsky

C S0078-25 Jane Marinsky

C S0078-03 Jane Marinsky

C S0078-27 Jane Marinsky

C S0078-28 Jane Marinsky

C S0078-46 Jane Marinsky

C S0078-22 Jane Marinsky

C S0078-31 Jane Marinsky

C S0078-16 Jane Marinsky

C S0078-33 Jane Marinsky

C S0078-23 Jane Marinsky

C S0078-35 Jane Marinsky

C S0078-36 Jane Marinsky

C S0078-37 Jane Marinsky

C S0078-38 Jane Marinsky

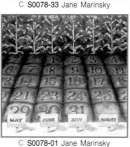

C S0078-01 Jane Marinsky

C S0078-40 Jane Marinsky

C S0078-41 Jane Marinsky

C S0078-42 Jane Marinsky

C S0078-43 Jane Marinsky

C S0078-44 Jane Marinsky

C S0078-45 Jane Marinsky

C S0078-20 Jane Marinsky

C S0078-47 Jane Marinsky

C S0078-48 Jane Marinsky

Price level A Icon $90 Spot $150 ¼ page $195 Price level B Icon $125 Spot $190 ¼ page $250
Price level C Icon $160 Spot $240 ¼ page $315 Price level D Icon $230 Spot $320 ¼ page $420

C S0488-01 Mike Cressy

C S0488-02 Mike Cressy

C S0488-03 Mike Cressy

C S0488-04 Mike Cressy

C S0488-05 Mike Cressy

C S0488-06 Mike Cressy

C S0488-07 Mike Cressy

C S0488-08 Mike Cressy

C S0488-10 Mike Cressy

C S0488-11 Mike Cressy

C S0488-12 Mike Cressy

C S0488-13 Mike Cressy

C S0488-14 Mike Cressy

C S0488-15 Mike Cressy

B S0141-01 Kalika Stern

B S0141-08 Kalika Stern

B S0141-02 Kalika Stern

B S0141-03 Kalika Stern

B S0141-04 Kalika Stern

B S0141-05 Kalika Stern

B S0141-06 Kalika Stern

B S0141-07 Kalika Stern

B S0141-09 Kalika Stern

B S0141-10 Kalika Stern

B S1435-01 Aaron Bacall

B S1435-02 Aaron Bacall

B S1435-03 Aaron Bacall

B S1435-04 Aaron Bacall

B S1435-05 Aaron Bacall

B S1435-06 Aaron Bacall

B S1435-07 Aaron Bacall

B S1435-08 Aaron Bacall

B S1435-09 Aaron Bacall

B S1435-10 Aaron Bacall

B S1435-11 Aaron Bacall

B S1435-18 Aaron Bacall

B S1435-13 Aaron Bacall

B S1435-14 Aaron Bacall

B S1435-15 Aaron Bacall

B S1435-16 Aaron Bacall

B S1435-17 Aaron Bacall

B S1435-19 Aaron Bacall

B S1435-20 Aaron Bacall

B S1435-21 Aaron Bacall

Price level A Icon $90 Spot $150 ¼ page $195   Price level B Icon $125 Spot $190 ¼ page $250
Price level C Icon $160 Spot $240 ¼ page $315   Price level D Icon $230 Spot $320 ¼ page $420

www.images.com   **139**

 C S1330-01 Lisa Haney
 C S1330-03 Lisa Haney
 C S1330-05 Lisa Haney
 C S1330-06 Lisa Haney
 C S1330-07 Lisa Haney
 C S1330-08 Lisa Haney

 C S1330-09 Lisa Haney
 C S1330-10 Lisa Haney
 C S1330-11 Lisa Haney
 C S1330-12 Lisa Haney
 C S1330-13 Lisa Haney
 C S1330-14 Lisa Haney

 C S1330-15 Lisa Haney
 C S1330-16 Lisa Haney
 C S1330-17 Lisa Haney
 C S1330-18 Lisa Haney
 C S1330-19 Lisa Haney
 C S1330-20 Lisa Haney

 C S1330-21 Lisa Haney
 C S1330-22 Lisa Haney
 C S1330-23 Lisa Haney
 C S1330-24 Lisa Haney
 C S1330-25 Lisa Haney
 C S1330-26 Lisa Haney

 C S1330-27 Lisa Haney
 C S1330-28 Lisa Haney
 C S1330-29 Lisa Haney
 C S1330-30 Lisa Haney
 C S1330-31 Lisa Haney
 C S1330-32 Lisa Haney

 C S1330-33 Lisa Haney
 C S1330-35 Lisa Haney
 C S1330-36 Lisa Haney
 C S1330-37 Lisa Haney
 C S1330-38 Lisa Haney
 C S1330-39 Lisa Haney

 C S1330-40 Lisa Haney
 C S1330-41 Lisa Haney
 C S1330-42 Lisa Haney
 C S1330-43 Lisa Haney
 C S1330-44 Lisa Haney
 C S1330-45 Lisa Haney

 C S1330-46 Lisa Haney
 C S1330-47 Lisa Haney
 C S1330-48 Lisa Haney
 C S1330-49 Lisa Haney
 C S1330-50 Lisa Haney
 C S1330-53 Lisa Haney

Price level A Icon $90 Spot $150 ¼ page $195   Price level B Icon $125 Spot $190 ¼ page $250
Price level C Icon $160 Spot $240 ¼ page $315   Price level D Icon $230 Spot $320 ¼ page $420

 C S1176-01 Michael Aveto

 C S1176-02 Michael Aveto

 C S1176-03 Michael Aveto

 C S1176-04 Michael Aveto

 C S1176-05 Michael Aveto

 C S1176-06 Michael Aveto

 C S1176-07 Michael Aveto

 C S1176-08 Michael Aveto

 C S1176-09 Michael Aveto

 C S1176-10 Michael Aveto

 C S1176-11 Michael Aveto

 C S1176-12 Michael Aveto

 C S1176-13 Michael Aveto

 C S1176-14 Michael Aveto

 C S1176-15 Michael Aveto

 C S1176-16 Michael Aveto

 C S1176-17 Michael Aveto

 C S1176-18 Michael Aveto

 C S1176-19 Michael Aveto

 C S1176-20 Michael Aveto

 C S1176-21 Michael Aveto

 C S1176-22 Michael Aveto

 C S1176-23 Michael Aveto

 C S1176-24 Michael Aveto

 C S1176-25 Michael Aveto

 C S1176-26 Michael Aveto

 C S1176-27 Michael Aveto

 C S1176-29 Michael Aveto

 C S1176-28 Michael Aveto

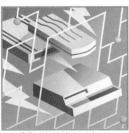 C S1176-30 Michael Aveto

 C S1176-31 Michael Aveto

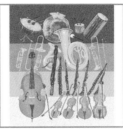 C S1176-32 Michael Aveto

 C S1176-33 Michael Aveto

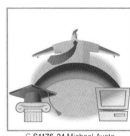 C S1176-34 Michael Aveto

 C S1176-35 Michael Aveto

 C S1176-36 Michael Aveto

 C S1176-37 Michael Aveto

 C S1176-38 Michael Aveto

 C S1176-39 Michael Aveto

 C S1176-40 Michael Aveto

 C S1176-41 Michael Aveto

 C S1176-42 Michael Aveto

 C S1176-43 Michael Aveto

 C S1176-44 Michael Aveto

 C S1176-45 Michael Aveto

 C S1176-48 Michael Aveto

Price level A Icon $90 Spot $150 ¼ page $195 Price level B Icon $125 Spot $190 ¼ page $250
Price level C Icon $160 Spot $240 ¼ page $315 Price level D Icon $230 Spot $320 ¼ page $420

www.images.com 141

C S1176-46 Michael Aveto

C S1176-47 Michael Aveto

C S1196-09 Kamalova

C S1196-10 Kamalova

C S1196-15 Kamalova

C S1196-16 Kamalova

C S1176-49 Michael Aveto

C S1196-02 Kamalova

C S1196-03 Kamalova

C S1196-04 Kamalova

C S1196-05 Kamalova

C S1196-06 Kamalova

C S1196-07 Kamalova

C S1196-08 Kamalova

C S1196-11 Kamalova

C S1196-12 Kamalova

C S1196-13 Kamalova

C S1196-14 Kamalova

C S1196-01 Kamalova

C S1196-17 Kamalova

C S1196-18 Kamalova

C S1196-19 Kamalova

C S1196-20 Kamalova

C S1196-21 Kamalova

C S1196-22 Kamalova

C S1196-23 Kamalova

C S1196-25 Kamalova

C S1196-28 Kamalova

C S1196-26 Kamalova

C S1196-27 Kamalova

C S1196-29 Kamalova

C S1196-30 Kamalova

C S1196-24 Kamalova

Price level A Icon $90 Spot $150 ¼ page $195 Price level B Icon $125 Spot $190 ¼ page $250
Price level C Icon $160 Spot $240 ¼ page $315 Price level D Icon $230 Spot $320 ¼ page $420

   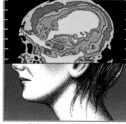 

C S1429-08 Ed Lindlof C S1429-03 Ed Lindlof C S1429-23 Ed Lindlof C S1429-14 Ed Lindlof C S1429-07 Ed Lindlof

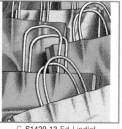    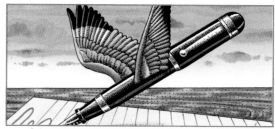

C S1429-13 Ed Lindlof C S1429-22 Ed Lindlof C S1429-09 Ed Lindlof C S1429-10 Ed Lindlof C S1429-05 Ed Lindlof

C S1429-06 Ed Lindlof C S1429-02 Ed Lindlof C S1429-25 Ed Lindlof C S1429-12 Ed Lindlof C S1429-01 Ed Lindlof

     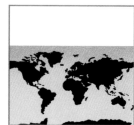

C S1429-15 Ed Lindlof C S1429-17 Ed Lindlof C S1429-04 Ed Lindlof C S1429-19 Ed Lindlof B 1429-20 Ed Lindlof

C S1429-16 Ed Lindlof B S1429-29 Ed Lindlof C S1429-18 Ed Lindlof B S1429-26 Ed Lindlof C S1429-24 Ed Lindlof

  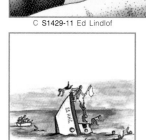

C S1429-27 Ed Lindlof C S1429-30 Ed Lindlof C S1429-11 Ed Lindlof C S1429-28 Ed Lindlof C S1429-21 Ed Lindlof

C S1436-07 Dan Castello C S1436-01 Dan Castello C S1436-04 Dan Castello B S1436-05 Dan Castello C S1436-10 Dan Castello

C S1436-02 Dan Castello C S1436-08 Dan Castello C S1436-09 Dan Castello B S1436-06 Dan Castello B S1436-11 Dan Castello C S1436-03 Dan Castello

Price level A Icon $90 Spot $150 ¼ page $195 Price level B Icon $125 Spot $190 ¼ page $250
Price level C Icon $160 Spot $240 ¼ page $315 Price level D Icon $230 Spot $320 ¼ page $420

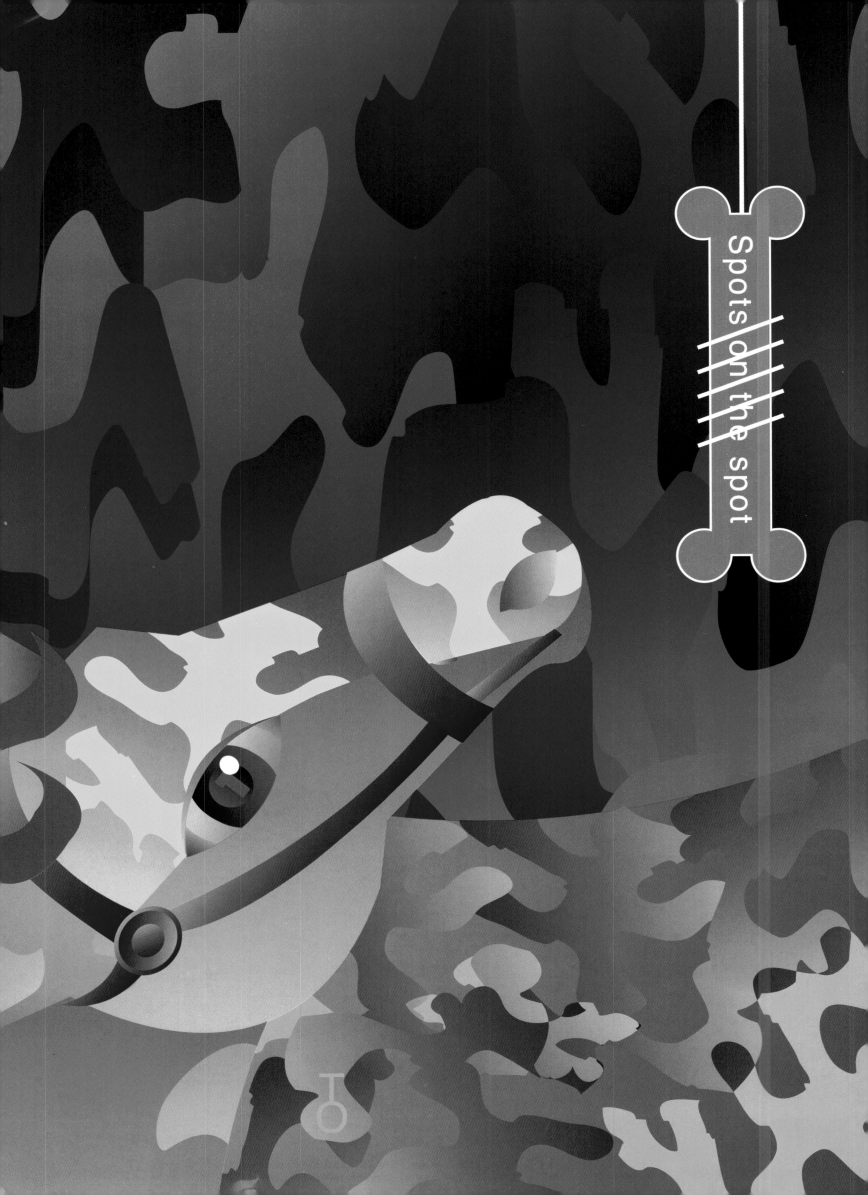

Spots on the spot

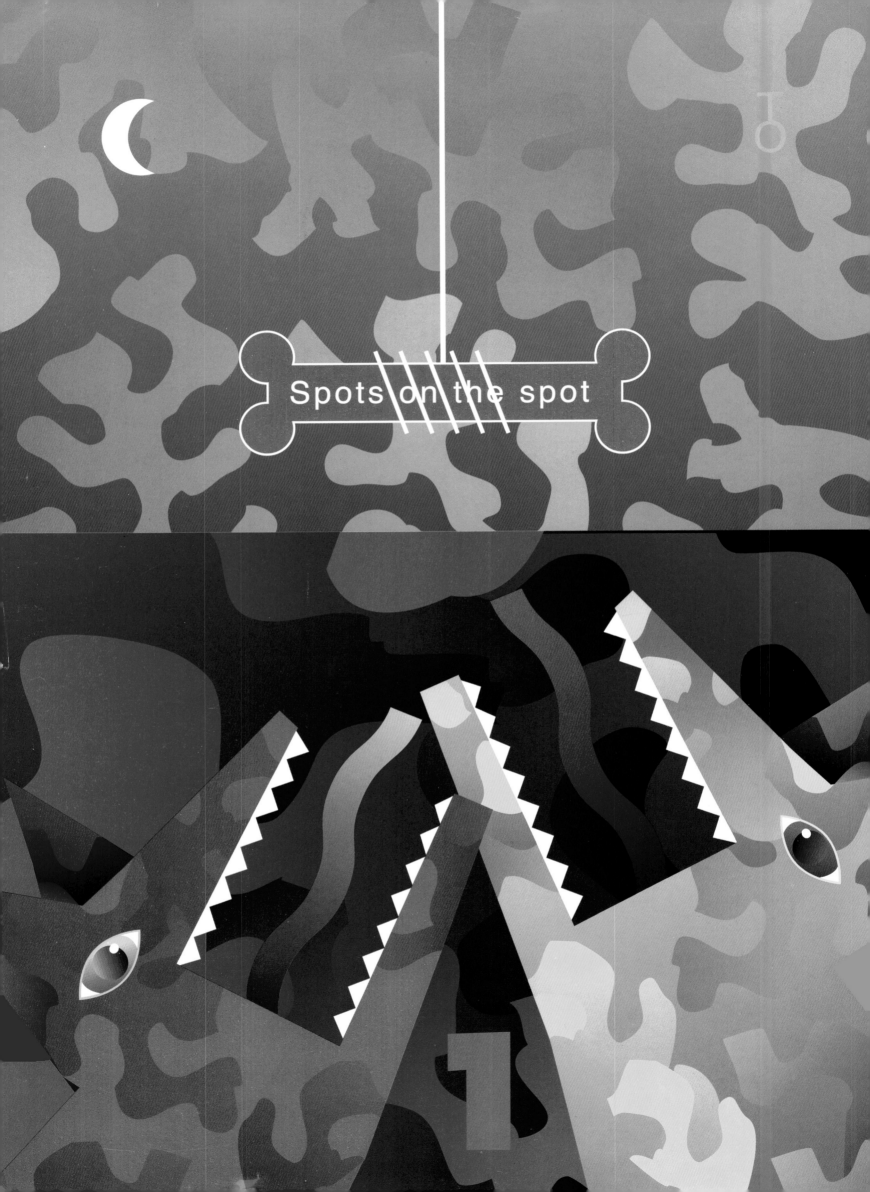